PRÉSERVEZ
votre vitalité mentale

Infographie : Chantal Landry
Révision : Sylvie Massariol
Correction : Odile Dallaserra, Joëlle Bouchard

Données de catalogage disponibles auprès de
Bibliothèque et Archives nationales du Québec

Crédits photographiques :
Courtoisie du Dr Ian R. A. Mackenzie, département de
pathologie de l'Université de Colombie-Britannique : p. 57
Courtoisie du Dr Marlise P. dos Santos, MD MSc FRCPC,
Neuroradiologue, Ottawa, ON, Canada : p. 47, 58, 63, 67
Luke Mastin : p. 160 (hypnogramme)
Tous droits réservés : p. 41, 133

DISTRIBUTEURS EXCLUSIFS :

Pour le Canada et les États-Unis :
MESSAGERIES ADP inc.*
Téléphone : 450-640-1237
Internet : www.messageries-adp.com
* filiale du Groupe Sogides inc.,
   filiale de Québecor Média inc.

Pour la France et les autres pays :
INTERFORUM editis
Téléphone : 33 (0) 1 49 59 11 56/91
Service commandes France Métropolitaine
Téléphone : 33 (0) 2 38 32 71 00
Internet : www.interforum.fr
Service commandes Export – DOM-TOM
Internet : www.interforum.fr
Courriel : cdes-export@interforum.fr

Pour la Suisse :
INTERFORUM editis SUISSE
Téléphone : 41 (0) 26 460 80 60
Internet : www.interforumsuisse.ch
Courriel : office@interforumsuisse.ch
Distributeur : OLF S.A.
Commandes :
Téléphone : 41 (0) 26 467 53 33
Internet : www.olf.ch
Courriel : information@olf.ch

Pour la Belgique et le Luxembourg :
INTERFORUM BENELUX S.A.
Téléphone : 32 (0) 10 42 03 20
Internet : www.interforum.be
Courriel : info@interforum.be

06-16

Imprimé au Canada

Traduction française :
© 2016, Les Éditions de l'Homme,
division du Groupe Sogides inc.,
filiale de Québecor Média inc.
(Montréal, Québec)

Tous droits réservés

Dépôt légal : 2016
Bibliothèque et Archives nationales du Québec

ISBN 978-2-7619-4713-8

Gouvernement du Québec – Programme de crédit
d'impôt pour l'édition de livres – Gestion SODEC –
www.sodec.gouv.qc.ca

L'Éditeur bénéficie du soutien de la Société de
développement des entreprises culturelles du
Québec pour son programme d'édition.

 Conseil des Arts   Canada Council
du Canada   for the Arts

Nous remercions le Conseil des Arts du Canada de
l'aide accordée à notre programme de publication.

Financé par le gouvernement du Canada
Funded by the Government of Canada | Canadä

Nous remercions le gouvernement du Canada de
son soutien financier pour nos activités de traduction dans le cadre du Programme national de traduction pour l'édition du livre.

Nous reconnaissons l'aide financière du gouvernement du Canada par l'entremise du Fonds du livre
du Canada pour nos activités d'édition.

Dr ANTOINE HAKIM

PRÉSERVEZ
votre vitalité mentale

7 RÈGLES
POUR PRÉVENIR
LA DÉMENCE

Traduit de l'anglais (Canada) par Paulette Vanier

LES ÉDITIONS DE
L'HOMME
Une société de Québecor Média

*Ce livre est dédié à ma grand-mère et à mes parents qui,
malgré les déplacements forcés et la pauvreté,
m'ont offert un amour inépuisable, ainsi qu'à mon épouse
et à mes enfants, qui ont accepté avec amour
et compréhension mes absences pendant la rédaction.*

INTRODUCTION

POURQUOI LIRE CE LIVRE ET SUIVRE LES SEPT RÈGLES ÉNONCÉES ?

Ce livre vous aidera à ne pas perdre la boule ! Il a été écrit parce que nous sommes nombreux à vieillir, à vivre plus longtemps et à être terrifiés à l'idée de souffrir de démence. Cet ouvrage n'est pas destiné uniquement au lecteur âgé. En effet, on sait aujourd'hui que le scénario de la démence s'écrit très tôt dans l'existence, peut-être même à l'adolescence. Il est donc destiné à toutes les personnes qui souhaitent garder un esprit sain.

Au cours de ma pratique en neurologie des 40 dernières années, j'ai vu un grand nombre de patients souffrant de démence ou de troubles cognitifs. J'ai vu des gens dans la quarantaine se plaindre que leur esprit s'embrouillait et contempler l'abîme de la démence. Certains ont pu inverser le cours des choses et éviter ce résultat, tandis que d'autres ont poursuivi leur descente inexorable et, au bout de quelques années, sont devenus lourdement dépendants de leur entourage.

J'ai suivi de nombreux patients qui croyaient souffrir de la maladie d'Alzheimer parce qu'ils oubliaient le numéro de téléphone de quelqu'un ou n'arrivaient pas à retrouver rapidement son nom. Bien souvent, ils décrivaient leurs trous de mémoire avec un rire nerveux et de la terreur dans les yeux. À l'inverse, des patients souffrant de troubles de la mémoire et cognitifs graves restaient silencieux alors que leur fille expliquait, les larmes aux yeux, les difficultés de ce parent. J'ai aussi eu des patients, et personnellement connu des gens, de 90 ans dont la mémoire, le jugement et la capacité à prendre des décisions étaient tout à fait normaux.

J'ai écrit ce livre parce que je pense pouvoir vous conseiller sur les manières de réduire substantiellement votre risque de souffrir de démence en vieillissant. La principale leçon que mes 40 années de pratique m'ont apprise, c'est que, dans un pourcentage important des cas, la démence résulte d'une maladie vasculaire affectant le cerveau, conjuguée à des comportements néfastes. Les lésions à la structure et à l'intégrité du cerveau sont alors assez graves pour que le sujet ne puisse plus penser normalement et qu'il perde la mémoire.

Dans ce livre, je partagerai donc avec vous les connaissances que j'ai acquises grâce à des études menées au Canada, aux États-Unis, en Europe et ailleurs dans le monde sur l'accident vasculaire cérébral (AVC) et d'autres maladies vasculaires qui affectent le cerveau. Tout particulièrement, je vous ferai des suggestions sur la manière de les éviter. Je vous apprendrai aussi à adopter certains comportements et à en éviter d'autres, de sorte que vous puissiez préserver vos aptitudes cognitives. L'accueil réservé aux conférences que j'ai données à ce sujet dans le monde m'a permis de conclure que vous, lecteur, apprécieriez certainement d'être conseillé sur les moyens vous permettant de préserver vos facultés mentales et votre mémoire. En cours de route, vous apprendrez comment fonctionne cette dernière et ce qui distingue les déficits normaux des plus sinistres.

Le message à retenir de ce livre, c'est qu'il est possible de réduire son risque de souffrir de démence. Vieillissement n'équivaut pas nécessairement à démence. Il existe de nombreuses personnes (voire des sociétés entières) dont l'esprit reste aiguisé jusque tard dans l'existence. Vous trouverez dans ce livre de nombreux exemples dans ce sens ainsi que des conseils tirés d'études scientifiques vous permettant de préserver votre acuité mentale. Certaines des recommandations sont également destinées aux médecins et aux professionnels des soins de santé. Cet ouvrage s'inscrit résolument dans un contexte nord-américain, mais ses propos s'adressent tout autant aux lecteurs européens ; j'en ai acquis l'assurance au cours de mes déplacements et des travaux que j'ai menés avec mes collègues d'outre-Atlantique. Les problématiques que j'aborde se manifestent avec autant de force des deux côtés de l'océan.

Pour des fins de clarté, j'ai résumé les connaissances actuelles sous la forme de sept règles à suivre pour préserver sa santé mentale et cognitive. Je présenterai chacune d'elles de manière à en faciliter la compréhension et je fournirai, en fin d'ouvrage, une liste de lectures supplémentaires permettant d'approfondir les différents sujets abordés.

Bonne lecture !

RÈGLE Nº 1

DÉVELOPPEZ AU MAXIMUM VOS FONCTIONS COGNITIVES

Faites-vous des économies au cas où? Il est probable que vous épargniez en vous disant qu'un jour vous pourriez avoir besoin de cet argent pour une urgence. Comme nous souhaitons tous être assurés d'une sécurité financière en vieillissant, il serait certainement très utile de disposer d'un fonds de réserve pour notre retraite, que ce soit possible ou pas. Ainsi, nous pourrions l'utiliser en cas de besoin.

C'est en gros le même principe qui gouverne les capacités cognitives de notre cerveau. Il faut accumuler une réserve cognitive. Mais, avant d'aller plus loin, définissons ce dont il est question ici. Le mot « cognitif » renvoie à toutes les activités de l'esprit et à ce qui caractérise notre faculté de penser. Par « cognition », on entend la capacité à effectuer les activités mentales suivantes :

- se remémorer des faits, des gens et des endroits ;
- accorder une attention sélective à un événement ou à une tâche ;
- se concentrer sur l'activité en cours ;
- former un jugement sur une situation donnée ;
- prendre des décisions et les mener à terme ;
- s'orienter dans le temps et dans l'espace ;
- relier ses souvenirs de manière séquentielle et avec exactitude ;
- se rappeler à quoi ressemble un objet qu'on a déjà vu alors qu'il n'est pas devant soi ;
- posséder une bonne maîtrise de la langue tant pour parler que pour comprendre ce qui est dit ;
- maîtriser le calcul.

Cette liste ne rend toutefois pas justice aux complexités de l'esprit. Par exemple, nous possédons une mémoire à court terme, d'une durée de quelques minutes, et une mémoire à long terme, d'une durée apparemment illimitée. Cet après-midi, vous pourrez vous remémorer les détails de ce que vous avez fait durant l'avant-midi, mais ce ne sera peut-être plus le cas dans une semaine. Pour y parvenir, on a besoin de la mémoire à long terme, ce qui signifie que le cerveau doit pouvoir stocker beaucoup d'information sur une longue période, et y avoir accès sans effort.

On appelle « réserve cognitive » la capacité du cerveau à bien fonctionner malgré l'usure du temps, les atteintes diverses et les lésions possibles. C'est son potentiel de faire plus que ce à quoi on pourrait s'attendre lorsqu'on l'observe au moyen de l'imagerie par résonance magnétique (IRM), par exemple. On peut faire beaucoup pour accroître sa réserve cognitive. Il y a aussi de nombreuses manières de perdre cette réserve ; la rapidité avec laquelle on l'épuise détermine la plus ou moins grande précocité des troubles cognitifs.

NOUS VIVONS PLUS LONGTEMPS ET RECHERCHONS UNE BONNE QUALITÉ DE VIE

La démence est, en gros, une maladie qui accompagne le vieillissement. Or, nous espérons tous vivre plus longtemps que nos parents. Les statistiques le confirment, comme le montrent les diagrammes des figures 1.1 et 1.2. Il y a présentement 50 millions d'Américains âgés de plus de 65 ans ; au Canada, 16 % de la population appartient à cette catégorie. Non seulement ce groupe démographique croît-il plus rapidement que tout autre, mais cette croissance s'accélère. À 65 ans, l'espérance de vie des Américains est encore de 20,4 ans pour les femmes et de 17,8 ans, pour les hommes. En France, on estime que 16 % de la population actuelle est âgée de 65 ans et plus.

Non seulement vivons-nous plus longtemps, mais notre attitude envers le vieil âge change. J'ai récemment lu une notice nécrologique dans laquelle on annonçait que Jo Smith était mort « subitement » à l'âge de 93 ans. Il semble qu'on vive tellement longtemps qu'on en oublie que la mort est notre lot à tous ! Bien que nous soyons enchantés de profiter des joies de l'existence plus longtemps que nous l'espérions, nous ne désirons pas seulement prolonger celle-ci, mais nous recherchons également une bonne qualité de vie. Ce qui, pour la plupart d'entre nous, signifie préserver notre santé mentale et notre indépendance en vieillissant. Nous savons en notre for intérieur que si notre cerveau et notre esprit ne sont pas en santé, notre corps ne l'est pas non plus.

FIGURE 1.1 NOMBRE D'AMÉRICAINS DE PLUS DE 65 ANS, EN MILLIONS[1]

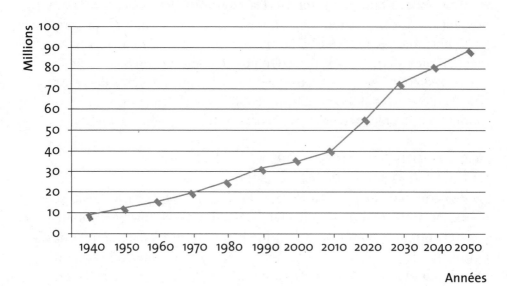

La figure 1.1 montre les prévisions en termes de millions d'Américains âgés de plus de 65 ans jusqu'en 2050.

FIGURE 1.2 POURCENTAGE DES CANADIENS DE 65 ANS ET PLUS[2]

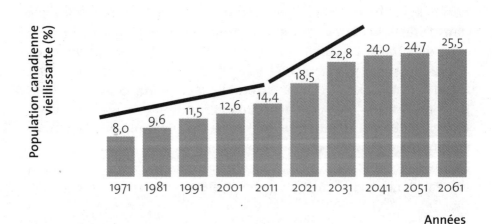

La figure 1.2 montre le pourcentage prévu de la population canadienne âgée de plus de 65 ans jusqu'en 2061.

À cet égard, les statistiques sont plutôt décourageantes. On estime présentement à plus de 44 millions le nombre de personnes souffrant de démence dans le monde, dont plus de 500 000 Canadiens et plus de 5 millions d'Américains[3]. En Europe, en 2006, on comptait 7,21 millions de personnes souffrant de démence. Selon les projections statistiques pour la France, 1 150 000 citoyens pourraient être atteints de cette maladie d'ici 2020, et plus de 2 millions en 2040[4].

Si on compte les personnes affligées de troubles de la mémoire qui ne sont pas assez graves pour être qualifiés de démence, ces chiffres augmentent d'environ 50 %. Comme si cela ne suffisait pas, on estime que, toutes les cinq minutes, quelqu'un quelque part commence à souffrir de cette maladie.

Évidemment, ceux qui en sont affligés ne sont pas les seuls à en souffrir. Chacune de ces personnes a besoin de quelqu'un pour s'occuper d'elle ; c'est souvent un membre de la famille, lequel voit son risque de faire une dépression s'accroître considérablement au fil du temps. Habituellement, tant le malade que l'aidant doivent arrêter de travailler, donc de recevoir un revenu et, en conséquence, de payer des impôts. Voilà pourquoi on craint de plus en plus que ce que certains appellent la bombe à retardement de la démence ne provoque un resserrement fiscal grave : les dépenses entraînées par les programmes destinés aux aînés, dont les soins de santé, devront augmenter à une époque où la baisse du taux de natalité amènera une diminution des revenus de l'État. Les gouvernements devront alors hausser les impôts et restructurer les services de soins de santé de manière à accorder une priorité à cette maladie débilitante, détournant ainsi des fonds qui pourraient être consacrés à d'autres projets et besoins en matière de santé. Monsieur David Cameron, premier ministre du Royaume-Uni, a récemment qualifié la démence d'« un des plus grands ennemis de l'humanité ».

Malgré cette situation troublante, il y a des raisons d'espérer. Laissez-moi vous raconter l'histoire de mon beau-père, qui est âgé de 90 ans. Durant la Seconde Guerre mondiale, il a combattu comme artilleur au sein de l'aviation américaine et, de retour chez lui, il a travaillé comme charpentier. Il a toujours beaucoup bougé et toujours vécu à la campagne. Il a construit les maisons dans lesquelles sa famille a vécu ; il jardine toujours et, encore aujourd'hui, coupe, transporte et empile son bois de chauffage dans une remise.

Non seulement mon beau-père est-il toujours actif, mais il est également un lecteur vorace et un écrivain prolifique. De retour du front, il avait pris l'habitude de tenir un journal quotidien. J'ai récemment eu le privilège de lire certains de ses journaux, qui couvraient des décennies. L'entrée commence toujours par une observation sur le temps qu'il fait, puis sur un animal sauvage qu'il a aperçu, le cas échéant, suivi d'un commentaire sur ce qui se passe dans sa société immédiate et d'une note personnelle le concernant lui ou sa famille. La lecture de ses écrits est fascinante, car ceux-ci couvrent des années d'histoire sur les plans personnel, local et national. À 90 ans, son esprit reste étonnamment vif. Il peut engager la conversation avec moi sur n'importe quel sujet d'actualité ou ayant trait à la famille. Les leçons que sa vie nous enseigne sont les suivantes : lisez, écrivez, restez mentalement actif et bougez physiquement.

J'ai un collègue dont les parents vivent en Corse, dans un lieu où le terrain monte en pente aiguë depuis la mer. Sa mère âgée doit emprunter plusieurs escaliers pour aller à sa maison et en redescendre chaque fois qu'elle va faire les courses. Récemment, on lui a suggéré d'emménager dans une maison plus basse, de sorte qu'elle n'ait plus à monter autant de marches. Avec une très grande sagesse, elle a répondu : « C'est le fait de monter et de descendre ces escaliers qui garde mon corps en vie et mon esprit vif. »

En plus de ces personnes remarquables qui ont su conjuguer longévité et lucidité intellectuelle, la science dispose de nombreuses preuves voulant qu'il y ait une corrélation entre, d'une part, les aptitudes mentales des gens et, d'autre part, leurs activités et leurs habitudes tout au long de leur existence. Conjuguées aux leçons que nous pouvons tirer de ces études, mes propres observations m'amènent à vous livrer un message clair que le Dr Robert Wilson, qui a mené l'étude longitudinale de Baltimore portant sur l'âge, a exprimé avec éloquence et qui se lit ainsi : « Le cerveau qu'on aura dans la vieillesse dépend de ce que nous lui demandons tout au long de l'existence[5]. »

Voilà qui change considérablement la donne. On a longtemps cru que, si un vieux voisin ou un vieil ami souffrait de démence, c'est qu'il était atteint de la maladie d'Alzheimer et qu'il n'y avait donc rien qu'on aurait pu faire pour empêcher cette situation ; c'était son destin. Or, on sait aujourd'hui que nous déterminons en grande partie la manière dont nous vieillissons, ce qui est une bonne chose puisque, pour l'heure, nous ne disposons pas de médicament ayant fait la preuve qu'il pouvait prévenir ou ralentir le déclin cognitif. La meilleure chose à faire consiste à prévenir l'apparition de cette maladie terrible ou à l'empêcher d'évoluer quand il en est encore temps.

LE CERVEAU EST MODIFIABLE

En plus des histoires personnelles comme celles de mon beau-père et de la mère de mon collègue, la conclusion voulant qu'on puisse réduire son risque de souffrir de démence s'appuie sur les résultats de quelques grandes études qui nous en ont beaucoup appris sur la question. Ainsi, l'étude écossaise Lothian s'est penchée sur 76 000 enfants âgés de 11 ans qu'on a suivis au fil des ans. Les chercheurs ont pu démontrer clairement que plus l'enfant était intelligent à 11 ans, plus il avait de chances de préserver ses facultés cognitives en vieillissant[6]. Il est vrai que les gènes reçus de vos parents jouent un rôle important, mais sachez que les résultats obtenus par les enfants de 11 ans au test de QI ne permettaient pas de prédire à plus de 50 % ceux qu'ils auraient en vieillissant. Cette étude a permis d'en déduire que le bon fonctionnement cérébral d'une personne âgée dépend de ce qu'elle a fait du cerveau qu'elle a reçu à la naissance. Par conséquent, sa fonction cérébrale n'est pas prédéterminée, mais dépend plutôt de la manière dont elle a stimulé ou, au contraire, gaspillé son intelligence.

Voilà qui confirme le concept important de plasticité du cerveau, à savoir qu'il est malléable et modifiable. Cette étude indique que, indépendamment de l'intelligence dont étaient pourvus les jeunes Écossais à la naissance, ceux qui sont restés en forme physiquement, qui ont préservé leur héritage culturel en continuant à parler tant l'écossais que l'anglais, qui ont fait des études supérieures et ne fumaient pas, obtenaient de meilleurs résultats dans leur vieil âge que ce qu'on attendait d'eux. En d'autres mots, les années exerceront des effets différents sur le cerveau selon ce qu'on a fait de celui qu'on a reçu à la naissance.

On a aussi mené à Baltimore une étude longitudinale sur le vieillissement auprès de quelque 1 000 personnes sur une période de 50 ans. Aux deux ans, les participants passaient une batterie d'examens cognitifs et physiques, et répondaient à un questionnaire portant sur leurs activités intellectuelles passées et présentes, dont la lecture et la correspondance. On a aussi examiné leur cerveau après leur mort. Récemment, les auteurs de l'étude ont conclu que ceux qui étaient restés mentalement actifs en vieillissant avaient mieux préservé leurs facultés cognitives que les autres[7].

La Nun Study (une étude menée auprès de religieuses[8]) est très importante à cet égard, les scientifiques y ayant fait quelques observations intéressantes. Pour cette étude, 678 religieuses de la communauté des Sœurs de Notre-Dame des États-Unis ont accepté que des chercheurs testent leur capacité à raisonner, évaluent leur jugement et mesurent leur capacité de mémorisation. Elles les ont autorisés aussi à s'enquérir de leurs antécédents familiaux et de leur éducation, en étudiant leur style d'écriture passé et la richesse de leurs compositions écrites, et même à examiner leur cerveau après leur mort.

Les résultats ont été absolument renversants : dans bien des cas où les religieuses avaient fonctionné normalement tout au long de leur vie et avaient obtenu d'excellents résultats aux tests, leur cerveau présentait des signes substantiels de ce qu'on attribue habituellement à la maladie d'Alzheimer. Autrement dit, malgré leur âge et le fait que leur cerveau présentait à l'autopsie des signes évidents de maladie d'Alzheimer, certaines des participantes pensaient normalement et possédaient une bonne mémoire ainsi que de bonnes facultés cognitives.

Chose importante, cette étude a aussi permis d'associer le style d'écriture et la richesse de contenu dans les compositions écrites datant du jeune âge des religieuses – particulièrement en ce qui a trait à la richesse de la phraséologie et de la créativité – à une protection subséquente contre la démence. En d'autres mots, si la prédisposition génétique, c'est-à-dire le bagage que vous avez reçu de votre père et de votre mère, est un déterminant important de la manière dont vous vieillirez, il importe encore plus que vous vous développiez et que vous contribuiez à votre réserve cognitive depuis le jeune âge et tout au long de votre vie. En effet, cette étude a permis de mettre l'accent sur l'importance vitale de commencer très tôt dans la vie à contribuer à sa réserve cognitive et à ne jamais cesser de le faire.

Munis de cette information, des chercheurs se sont dès lors attaqués à la question suivante : comment se fait-il que certaines personnes arrivent à fonctionner normalement, c'est-à-dire à manifester des fonctions mentales et cognitives normales, alors que leur cerveau est atteint de la maladie d'Alzheimer ? Comment une personne peut-elle continuer à penser normalement alors que son cerveau se détériore et présente les signes de cette maladie qu'on associe à la démence ?

C'est ainsi qu'est né le concept de réserve cognitive : on fait des économies quand on est jeune – c'est-à-dire qu'on élabore ses capacités mentales tôt dans la vie et qu'on continue de les alimenter tout au long de l'existence de manière à mieux faire face aux maladies débilitantes qui sont susceptibles de se présenter avec l'âge et à surmonter leur impact sur l'esprit et la mémoire. En clair, malgré l'évidence à l'examen des ravages causés par la maladie sur le cerveau, certains ont pu contourner cet obstacle en alimentant leur réserve cognitive et en l'incorporant dans la structure de leur cerveau le plus tôt possible dans la vie. En puisant dans cette réserve, ces personnes ont pu passer outre aux lésions causées par la maladie et, en dépit d'elle, fonctionner normalement. Quand la mémoire commençait à diminuer, la gravité du déclin variait considérablement entre les personnes dont le cerveau montrait des degrés d'anomalies semblables. Une fois de plus, c'était dû à ce que ces personnes avaient fait avec ce qui restait de leur réserve cognitive.

Conjuguées, les observations tirées de ces études nous indiquent pourquoi certains non seulement vivent plus longtemps que d'autres, mais préservent leur acuité cognitive tout au long de l'existence, alors que d'autres se plaignent de confusion mentale à un âge relativement jeune. La question qui en découle est : que dois-je faire pour appartenir au premier groupe plutôt qu'au second ?

DES MESURES POUR PROTÉGER ET FAVORISER
SES FONCTIONS COGNITIVES

Notre capacité à penser normalement dépend de la richesse des échanges entre nos neurones, les cellules actives du cerveau. On estime leur nombre à 100 milliards, chacun d'eux pouvant échanger directement avec 1 000 autres. Les neurones transmettent des impulsions électriques et chimiques non seulement pour communiquer entre eux, mais aussi avec d'autres parties du corps, tels les muscles et les glandes. En plus d'échanger directement avec 1 000 autres neurones, chacun d'eux peut communiquer avec quelque 30 000 autres cellules nerveuses, suivant un processus extrêmement précis. Ainsi, notre cerveau est composé d'un réseau de communication étendu qui est responsable de toutes nos actions, sensations et pensées.

Les neurones possèdent la forme idéale leur permettant d'accomplir leur travail, qui consiste à la fois à recevoir et à transmettre de l'information. L'extrémité qui reçoit est pourvue de tentacules qui recueillent l'information des autres cellules et du milieu immédiat. L'autre extrémité est dotée d'un axone, prolongement qui transmet, sous la forme d'un signal électrique, l'ordre d'agir émis par le neurone. Le message est envoyé aux cellules cibles et, comme il doit y parvenir rapidement, les axones sont recouverts de myéline, une substance grasse conçue pour accélérer la transmission. Grâce à elle, le message électrique traverse de nombreux segments de l'axone à la fois plutôt qu'un seul et atteint sa cible à la vitesse de la lumière.

On peut donc imaginer que le cerveau est toujours occupé à garder actives et en santé les milliards de connexions nécessaires pour nous permettre de préserver nos fonctions mentales. Dans des circonstances normales, vous en êtes le patron, même si vous n'en avez pas conscience. C'est vous qui déterminez quelles connexions, parmi les milliards de neurones de votre cerveau, seront préservées et lesquelles seront abandonnées.

Si, par exemple, vous lisez beaucoup, les connexions qui se situent entre les centres de la vision et de la compréhension de la langue se renforceront et, avec le temps, resteront en parfait état. Si vous venez de lire un nouveau roman ou d'apprendre quelques mots d'une nouvelle langue, votre cerveau protégera et favorisera les parties que vous avez activées et établira de nouvelles connexions dans les régions stimulées par vos actions. Si vous écrivez beaucoup, les connexions en bon état seront celles qui vont des centres de production de la parole aux centres de contrôle de la motricité fine qui permettent aux mains de produire les gestes nécessaires à l'écriture manuelle ou dactylographique. Les connexions entre les centres de la vision et de la compréhension de la langue s'assureront que ce que vous écrivez a du sens. Celles que vous activez verront leur apport sanguin augmenter, tandis que les autres, celles que vous ignorez, finiront par s'éteindre.

Comment cela se passe-t-il? C'est simple: l'activité des cellules nerveuses est ce qui détermine la formation de nouveaux vaisseaux sanguins destinés à alimenter en énergie la région activée. Par conséquent, vous êtes la personne qui, au bout du compte, décide de la région qui restera active et de l'activité qui s'y tiendra, et vice versa. Le cerveau ne perdra pas d'énergie à préserver des connexions dont vous ne faites pas usage.

Voilà, vous savez désormais que c'est la richesse et la vitalité des connexions et des fonctions que vous établissez dans votre cerveau qui constitueront votre réserve cognitive. C'est ce qui vous permet de continuer à fonctionner normalement malgré des facteurs ou des maladies qui pourraient affaiblir ce fonctionnement. Il importe donc ici de répéter ce que le Dr Robert Wilson disait, à savoir que le cerveau qu'on a en vieillissant est celui qu'on a sculpté jeune et à l'âge mûr en préservant la santé du milieu où vivent les neurones et en activant les circuits cérébraux qui nous seront utiles dans notre vieil âge.

Notre réserve cognitive dépend directement de la vitalité de notre cerveau mais aussi de notre état de santé général. Le cerveau est l'organe maître et il se met à notre service mais, pour ce faire, il sent et surveille tout ce qui se passe en nous et autour de nous, en tout temps. Il sent quel est votre taux de cholestérol ou votre glycémie, quelle quantité de sel vous absorbez, si vous êtes physiquement actif ou pas, si vous avez bien dormi ou si vous vous êtes réveillé plusieurs fois durant la nuit; il connaît votre humeur du moment – si vous êtes heureux, triste ou déprimé – et il en subit directement ou indirectement les conséquences. En réaction à ces informations, il active des cellules, des hormones et des substances chimiques, favorise la formation de nouvelles connexions et les préserve, ou en supprime d'autres, chacune de ces réactions ayant des conséquences significatives sur votre état mental.

PUIS-JE CONTRIBUER À MA RÉSERVE COGNITIVE MÊME SI JE NE SUIS PLUS JEUNE ?

La réponse est OUI, un oui retentissant ! Comme je l'ai mentionné précédemment, la réserve cognitive dépend des connexions entre les cellules du cerveau. Bien que le passage du temps rende plus difficiles la formation de nouvelles connexions de même que leur préservation, nous disposons de multiples preuves voulant qu'il soit possible, à tout âge, d'établir de nouvelles connexions et d'accroître leur résistance aux ravages du temps. Cela dit, il est préférable de former sa réserve cognitive tôt dans l'existence et de continuer à y contribuer en vieillissant.

Les articles médicaux donnent à penser que ce que nous faisons avec notre cerveau alors que nous sommes jeunes et au milieu de notre vie – que ce soit bon ou mauvais – a des conséquences majeures sur nos capacités cognitives plus tard. La réserve cognitive doit se former tôt dans la vie. En conséquence, plus tôt vous mettrez en application les conseils donnés dans ce livre, meilleures seront vos chances de préserver vos fonctions cérébrales et mentales. Mais il n'est jamais trop tard. Il n'y a pas de point de non-retour qui rendrait inutiles les efforts destinés à rehausser et à accroître ses fonctions intellectuelles et cognitives.

Les experts insistent sur trois points importants. Le premier, c'est que le cerveau aime la variété. Le fait de n'en exercer qu'une partie jour après jour n'entraîne pas nécessairement l'activation des autres parties et l'amélioration de leurs fonctions. Ainsi, cet organe est extrêmement efficace dans les fonctions qu'il active en réponse à des exercices mentaux. Il faut donc en varier les apports. Voyez la chose ainsi : un bon joueur de football n'est pas nécessairement un bon joueur de tennis. Cependant, les muscles qu'il a développés en jouant au football lui seront utiles pour le tennis. Il n'est pas aussi utile pour le cerveau et les fonctions mentales de faire une seule chose de manière répétitive et sur le long terme que d'en faire plusieurs sur de courtes périodes. Par conséquent, variez vos activités.

Le deuxième point important, c'est que le cerveau aime qu'on le pousse et il en a même besoin. Vous devez exiger de lui plus que ce que l'incite à faire son désir naturel de préserver son énergie et de se la couler douce. Sa plasticité, c'est-à-dire sa capacité à acquérir de nouvelles aptitudes et à améliorez ses fonctions mentales ainsi que sa mémoire, vous est plus utile quand vous le poussez. Les expériences de toute votre vie vous servent et ont favorisé cette plasticité, ce dont vous pouvez tirer parti, mais vous devez continuer de lui demander de nouvelles choses.

Le troisième point, c'est qu'il est normal de perdre un peu la mémoire. En plus des souvenirs qui y sont imprimés, il y a des choses que vous vous êtes rappelées un temps, puis que vous avez « volontairement » oubliées. Par exemple, vous avez gardé longtemps à l'esprit les détails de l'horrible accident de voiture dont vous avez été témoin il y a 12 ans mais, aujourd'hui, ils sont flous. Il est tout à fait normal d'oublier une information qui n'est pas « importante », c'est-à-dire qui n'a aucune valeur pour la survie ou n'a pas de répercussions émotionnelles sur vous. Le cerveau accorde la priorité à ce qui doit être conservé dans la mémoire, et rejette en toute sécurité ce qui n'est pas essentiel. Si vos matins sont très chargés, ne vous étonnez pas, à la fin de la journée, d'avoir oublié où vous avez garé votre voiture dans le parc de stationnement.

PUIS-JE FORMER MA RÉSERVE COGNITIVE EN JOUANT À DES JEUX DE MÉMOIRE ?

On me pose souvent cette question et ma réponse est nuancée. Bien des gens semblent convaincus que les jeux qui promettent une amélioration cognitive et une mémoire plus aiguisée éloigneront la menace de la démence. Malheureusement, les indications à cet effet ne sont pas très probantes, en tout cas nettement pas autant que celles voulant que l'exercice physique soit utile au cerveau.

On a publié dans la revue *Neurology* les résultats d'une étude récente ayant porté sur plus de 600 hommes et femmes dont l'âge moyen était de 70 ans et dans laquelle on avait comparé les effets relatifs de l'exercice physique à ceux des activités mentales sur la structure cérébrale. Les chercheurs ont pu le faire en examinant les images cérébrales des participants sur une période de trois ans. Or, ils en ont conclu que les activités sociales et intellectuelles ne semblaient pas être autant utiles au maintien de la structure du cerveau des participants que l'exercice physique régulier. Dans le groupe des personnes qui bougeaient et restaient physiquement actives, le cerveau avait moins rétréci et son système électrique était moins endommagé que dans l'autre groupe dont les membres passaient beaucoup de temps assis à exercer leur esprit[9].

Chose intéressante, si l'activité était complexe et à tâches multiples, par exemple un jeu vidéo de 30 minutes, la matière grise des sujets s'étoffait dans les zones du cerveau associées à la navigation spatiale, à la planification stratégique, à la mémoire de travail et à la performance motrice[10]. Cependant, à peu près à la même époque et dans la même revue, on a publié les résultats d'une étude menée auprès d'un autre groupe de 294 personnes. Tout comme dans la Nun Study, ces participants avaient passé un examen périodique mesurant leur mémoire et leur faculté intellectuelle, et on avait examiné leur cerveau après leur mort. On en a conclu que, chez ceux dont le cerveau avait toujours été actif, le déclin cognitif était moins prononcé que chez les autres[11]. Bref, plus tôt on active son cerveau, mieux on préservera sa capacité à raisonner.

Je sais qu'un bon nombre de gens pratiquent l'entraînement cérébral. Les économistes estiment que les revenus des ventes de programmes et d'outils destinés à cet usage ont dépassé le milliard de dollars en 2012, en grande partie grâce à la croissance rapide de firmes comme Lumos Labs qui offrent des programmes facilement accessibles. Bref, bien des gens sont convaincus que, pour préserver leurs facultés cognitives, ils doivent donner à leur cerveau des exercices à faire. Bien sûr, les efforts dans ce sens ne sont pas inutiles, mais le débat reste entier quant à savoir si, comme certains l'affirment, ces exercices artificiels préservent la mémoire et contribuent à la formation de la réserve cognitive.

Dans son article publié récemment, Shelli Kesler, de l'Université Stanford, a avancé que Lumosity, un programme de formation d'une durée de 12 semaines, avait permis d'améliorer les fonctions exécutives du cerveau chez un groupe de femmes[12]. En revanche, on a présenté récemment à la télévision une expérience menée sous la direction du Dr Adrian Owen de l'Université Western, à London en Ontario (Canada), portant justement sur les effets de Lumosity sur la fonction cérébrale et dont les résultats avaient été mesurés au moyen des tests cognitifs habituels et d'une imagerie par résonance magnétique fonctionnelle (IRMf). Cinquante Canadiens avaient suivi la formation durant un mois. Or, les examens qu'ils avaient passés avant et après n'ont pas permis de démontrer que cette formation faisait une différence, tant en ce qui concerne les tests cognitifs qu'en ce qui a trait à la connectivité et à l'efficacité de la fonction cérébrale telles que mesurées par l'IRMf.

La réserve cognitive présente donc ce double aspect : d'un côté, on s'en sert ou on la perd ; de l'autre, le cerveau est parcimonieux et ne mettra pas d'énergie à établir de nouvelles connexions et à les maintenir simplement parce que vous l'avez mis en action. Il veut être assuré de votre sérieux, c'est-à-dire que vous ne le ferez travailler à établir de nouvelles connexions, ou à confirmer et à enrichir celles qui existent déjà, que si l'activité mentale que vous lui demandez est constante et émotionnellement significative.

Nous disposons de nombreuses preuves le confirmant. Ainsi, à Londres, on enseigne durant deux ans aux chauffeurs de taxi le nom des rues de la ville, après quoi ils doivent subir un examen rigoureux permettant de mesurer leurs connaissances. Or, l'examen par IRM de leur cerveau indique que la partie qui gère la navigation et l'orientation dans l'espace est plus étendue chez eux que dans le reste de la population. Les autres parties de leur cerveau sont de taille normale.

De la même manière, le cerveau des musiciens et des artistes se modifie dans les parties qui correspondent à leurs aptitudes. Le corollaire, c'est que le fait de mettre votre esprit à l'ouvrage, par exemple en le faisant jouer de manière répétitive au sudoku, ne sera certes pas préjudiciable à votre cerveau. La partie responsable de vos aptitudes à jouer à ce jeu pourra même augmenter de taille, mais cela n'améliorera pas nécessairement les fonctions générales de votre mémoire. Vous serez un bon joueur de sudoku, voilà tout. Votre cerveau ne déploiera pas pour autant de l'énergie à améliorer votre jugement, par exemple, ou votre sens de l'humour.

Stephen Kosslyn, qui était jusqu'à récemment directeur du Centre for Advanced Study in the Behavioural Sciences de Stanford, reconnaît ce côté parcimonieux du cerveau. « La terrible vérité, dit-il, c'est que les possibilités de généralisation sont très limitées. Si vous pratiquez une activité de nature cognitive, vous ne pratiquez en gros que celle-là. Votre aptitude pourrait se transmettre à une autre activité dont la structure sous-jacente est très semblable, mais cela se produit rarement à cent pour cent. »

En résumé, voici quelques suggestions qui vous permettront d'accroître la réserve cognitive de votre cerveau et de protéger votre faculté à penser et votre mémoire.

SUGGESTIONS POUR ACCROÎTRE VOTRE RÉSERVE COGNITIVE

1. Sachez que les jeux de mémoire ne constituent pas une perte de temps, mais que leurs bienfaits sont limités.

2. Variez vos activités. Proposez à votre cerveau diverses activités, particulièrement celles qui exigent une coordination œil-main, par exemple le tennis et certains jeux vidéo, ou une coordination œil-oreille-corps, par exemple la danse au rythme de la musique.

3. Continuez à lire, à écrire, à calculer, à faire des mots croisés et des casse-tête ; confiez à votre mémoire des numéros de téléphone et d'autres informations ; bref, faites en sorte que votre cerveau s'adonne à de nombreuses tâches.

4. Ne laissez pas votre cerveau « s'éteindre », par exemple en regardant trop souvent la télé. Cette activité est habituellement passive et ne stimule pas l'esprit.

---

5. Préservez des liens sociaux. Assurez-vous d'avoir de bons amis qui se soucient de vous et vice versa, et communiquez souvent avec eux.

6. Restez physiquement actif. Marchez quand vous le pouvez et si vous aimez la natation, faites-en : c'est une bonne manière de faire de l'exercice sans avoir trop chaud.

7. Ne vous laissez pas décourager par le trou de mémoire occasionnel. Continuez de faire travailler votre cerveau.

En poursuivant votre lecture, vous découvrirez les activités que vous devriez pratiquer et celles que vous devriez éviter dans le but de garder l'esprit alerte. Comme la mémoire est d'une importance cruciale pour l'activité humaine, voire pour la survie, on assiste à la formation continuelle de nouveaux neurones et à leur dépôt dans l'hippocampe, structure cérébrale essentielle à cette faculté. Les autres régions du cerveau reçoivent le même entretien mais, pour autant qu'on le sache, pas à une telle ampleur. Cela fait de l'hippocampe, une structure essentielle aux fonctions de la mémoire, une partie privilégiée du cerveau. La Nature a mis au point ce système dans le but de renouveler les cellules utilisées dans l'hippocampe en y déposant de nouvelles cellules souches qui sont intégrées dans les circuits de sa structure.

On doit toutefois garder à l'esprit que le recrutement de nouveaux neurones dans le cerveau, c'est-à-dire la neurogenèse, n'est que la première étape. Ces neurones doivent ensuite être intégrés dans les circuits cérébraux afin de régénérer les lignes de communication préexistantes (les voies neuronales), ce qui nécessite une dépense énergétique et un milieu cérébral en santé. Même quand on vieillit et que les facultés cognitives tendent à diminuer, l'hippocampe se régénère et se reconstruit sans cesse. Cependant, le cerveau ne fait jamais rien qu'il ne soit pas tenu de faire, d'où le fait qu'il faille constamment favoriser la formation de nouvelles cellules et leur intégration dans les circuits de la mémoire. Votre cerveau « plastique » peut être sculpté et le sculpteur, c'est vous.

LES SYMPTÔMES DU DÉCLIN COGNITIF : LE CAS DE MADAME B.

Que se passe-t-il quand la réserve cognitive diminue ou s'épuise ? On présente des symptômes. D'abord, ceux-ci se limitent à des trous de mémoire pas très graves, c'est-à-dire qui n'affectent pas la capacité à fonctionner au travail ou à la maison. À ce stade, on parle de trouble cognitif léger (TCL). Le diagnostic de véritable démence tombe quand les difficultés à raisonner, à mémoriser ou à prendre des décisions affectent les activités quotidiennes et la joie de vivre.

Il y a trois ans, Mme B. m'a consulté à mon bureau en compagnie de sa fille adulte. Elle avait alors 68 ans et vivait seule en condo. Son mari était mort quatre ans plus tôt. Elle avait l'habitude d'aller danser avec lui et des amis mais, après sa mort, un grand nombre de leurs amis communs avaient cessé de l'inviter, alors elle avait graduellement perdu ses contacts sociaux. Elle avait trois filles, dont deux qui ne vivaient pas très loin et veillaient sur elle.

L'année précédant la consultation, les filles avaient remarqué que la mémoire de leur mère déclinait. Mme B., qui avait toujours aimé cuisiner pour ses enfants et ses petits-enfants, réussissait désormais moins bien ses plats. Elle en riait, disant qu'elle laissait son imagination s'exprimer. Les visites étaient très agréables, d'autant plus que Mme B. adorait ses petits-enfants et leur préparait des gâteries. Elle parlait aussi de ses sorties au café du coin avec d'autres femmes vivant dans des condos voisins. Un jour, une de ses filles s'est rendue avec elle au café et, en effet, Mme B. a été accueillie par son prénom. Donc, en dépit de certains problèmes, elle fonctionnait bien. Les filles avaient parlé avec les voisins et leur avaient laissé leurs numéros de téléphone au cas où il y aurait une urgence.

Je l'avais examinée trois ans auparavant et tout semblait alors normal. Elle faisait 1,78 mètre et pesait 63 kilos. Son tour de taille était de 85 centimètres et sa pression artérielle au repos, de 140/90 mm Hg (on la mesure en termes de millimètres de mercure, dont le symbole est Hg). L'examen neurologique était également normal. Je lui avais fait passer le Montreal Cognitive Assessment (MoCA), un test cognitif permettant de se faire une idée des facultés d'un patient et dont je traiterai plus loin. Elle avait obtenu 24 points sur 30, ce qui correspond à un trouble cognitif léger.

Comme la documentation médicale a montré que le trouble cognitif léger peut parfois être une conséquence réversible d'infections, d'un trouble de la thyroïde, de l'alcoolisme, du sevrage de l'alcool, de carences vitaminiques ou d'un AVC léger, j'avais vérifié toutes ces possibilités, pour les éliminer l'une après l'autre. Puisque Mme B. disait qu'elle aimait le sel et que sa pression artérielle était de 10 à 20 mm Hg trop élevée à mon goût, je lui avais conseillé d'en diminuer la consommation.

Puis, son médecin de famille a demandé à ce que je la voie de nouveau. La consultation a été devancée étant donné que ses filles avaient constaté, lors de leur dernière visite, divers problèmes de comportement chez leur mère : elle avait employé de la sauce tomate plutôt que de la sauce à salade dans les verdures et la cuisine, qui avait toujours été impeccable, l'était moins. Ainsi, quand elle avait dressé la table, on voyait que les assiettes étaient tachées. En outre, son hygiène corporelle laissait à désirer. Elle dégageait la légère odeur de quelqu'un qui ne prend pas régulièrement son bain ou sa douche. Lors d'une autre visite, elle avait été incapable de se rappeler le nom de ses petits-enfants. D'après ses filles, elle s'était mise à regarder beaucoup la télévision. Puis, un jour, une voisine a appelé l'une d'elles pour lui dire que Mme B. voulait aller prendre un café avec elle en chemise de nuit alors que c'était l'hiver. À une autre occasion, un policier lui avait téléphoné pour lui apprendre qu'il avait trouvé sa mère errant dans la rue à la recherche d'un café.

Quand je l'ai reçue dans mon bureau, j'ai constaté qu'elle avait changé passablement. Elle était plus négligée, dégageait une légère odeur et, bien qu'elle m'eût reconnu et salué, elle m'a demandé si j'aimais mon nouveau bureau, alors que, dans les faits, je n'en avais pas changé. À l'examen physique, j'ai pu constater qu'elle avait perdu 5,5 kilos au cours des trois dernières années et que sa pression artérielle se situait maintenant nettement au-dessus de la normale, soit à 154/94 mm Hg. L'examen neurologique s'est révélé relativement normal, mais le MoCA a indiqué que ses facultés cognitives s'étaient détériorées et qu'elle souffrait désormais de démence. Son IRM a montré la présence de menues cicatrices dans la substance blanche de son cerveau, signe qu'elle avait fait de petits AVC.

J'ai longuement discuté avec elle et ses filles. Elles étaient conscientes que l'état de leur mère s'était détérioré, qu'elle ne s'alimentait pas bien et qu'elle était très isolée socialement. Elles avaient d'abord pensé qu'elles pourraient renverser la situation ou au moins la stabiliser en allant la voir tous les jours. En dépit de leurs visites fréquentes, il était devenu évident qu'elle ne pouvait plus vivre seule en condo. Entre autres choses, elle ne prenait pas régulièrement son hypotenseur. Il fallait donc la placer dans un foyer où elle bénéficierait d'une surveillance et de soins constants.

En gardant l'exemple de Mme B. à l'esprit, voyons en quoi consiste le trou de mémoire quand on essaie de se rappeler le nom de quelqu'un. Une personne complètement normale, mais très occupée, soucieuse et troublée, pourrait oublier le nom d'une connaissance éloignée qu'elle rencontre par hasard ou celui de quiconque n'est pas un collègue de travail proche ou un membre de la famille. On considérerait cela comme normal. Souvent, le nom revient plus tard à la mémoire, parfois aussitôt que la connaissance en question a tourné le dos. En comparaison, une personne souffrant de TCL pourrait oublier le nom d'un partenaire de travail proche quand elle le rencontre, tandis que quelqu'un souffrant de démence peut oublier celui de ses enfants ou de ses petits-enfants.

Voici quelques exemples de situations qui pourraient entraîner un diagnostic de TCL : vous placez des objets au mauvais endroit, vous allez à la cuisine et oubliez ce que vous deviez y faire, vous connaissez le chemin pour aller au travail et vous ne vous êtes jamais perdu, mais vous auriez du mal à vous rappeler le nom des rues que vous prenez pour vous y rendre. Notez que, en cas de TCL, l'entourage ne semble généralement pas s'inquiéter des pertes de mémoire de la personne, de sa productivité au travail ou de sa capacité à fonctionner sans effort, aide ou soutien additionnel. Les personnes affligées de TCL dressent souvent des listes de choses qu'elles ne veulent pas oublier et qu'elles relisent périodiquement. Certaines posent des autocollants ici et là pour rafraîchir leur mémoire.

La distinction importante à faire entre le TCL et un trouble plus grave, c'est que les gens qui souffrent du premier conservent leur jugement et leurs fonctions exécutives. En outre, leur personnalité ne change pas substantiellement, leur sens de l'orientation est encore bon et ils sont toujours capables de prendre les bonnes décisions. Néanmoins, le TCL constitue un avertissement et, si vous avez reçu ce diagnostic, vous devriez dès lors demander à votre médecin d'évaluer le problème, de déterminer quels sont les facteurs de risque qui pourraient affecter négativement votre fonction cérébrale et de vous conseiller sur ce qui peut être fait pour renverser le processus.

Quand le TCL se transforme en démence, les symptômes ont beaucoup plus de répercussions sur la vie de la personne et celle de son entourage. On parle de démence quand la personne atteinte présente à la fois des troubles de la mémoire et au moins un problème dans un autre domaine cognitif, par exemple sa capacité à s'exprimer par la parole et à comprendre ce qu'on lui dit, ou sa capacité à prendre des décisions en temps opportun. De plus, ces déficits sont tels qu'ils affectent le fonctionnement quotidien de la personne, c'est-à-dire qu'elle a du mal à accomplir des tâches familières. Elle n'arrive pas à se remémorer les détails d'événements passés ou une information, même quand on les lui rappelle. Elle pourrait ne plus savoir comment faire griller du pain ou cuire un œuf, ou pourrait demander comment préparer un plat qu'elle a l'habitude de faire. Même quand on le lui rappelle, il n'est pas certain qu'elle utilisera les bons ingrédients ou qu'elle réussira le plat.

Les personnes souffrant de démence se perdent souvent ou sont désorientées. Il leur arrive de sortir puis d'oublier où elles vivent et d'être incapables de donner à autrui les directions pour s'y rendre. La maladie s'accompagne presque toujours d'une difficulté à communiquer, qu'il s'agisse de comprendre ce que d'autres disent ou, plus souvent, de parler avec aisance et de façon intelligible. De plus, elle affecte le jugement de même que les activités considérées comme des fonctions exécutives, soit la capacité à accomplir des tâches qui nécessitent une pensée abstraite, par exemple la mise à jour d'un compte bancaire ou la préparation d'un repas comprenant plusieurs étapes.

Comme nous l'avons vu, la démence entraîne aussi fréquemment des changements dans la personnalité, à mesure que la maladie touche d'autres parties du cerveau, par exemple celles qui nous poussent à la gentillesse ou à réprimer notre colère dans certaines situations. La personne peut avoir des hallucinations visuelles ou vous dire que quelqu'un que vous savez mort est allé la visiter et qu'ils ont passé un bon moment à bavarder ensemble. En ce qui concerne les changements de personnalité, elle peut devenir de plus en plus suspicieuse vis-à-vis des gens de son entourage au point d'en être paranoïde. Elle pourrait affirmer, par exemple, que des membres de sa famille la volent ou veulent lui faire du mal.

La démence s'accompagne aussi souvent de désorientation. La personne pourrait ne plus savoir comment passer de la cuisine à la salle de bain, même dans sa propre maison. Elle pourrait quitter la maison le soir dans le but de retrouver quelqu'un puis, aussitôt dehors, oublier où elle est. Elle pourrait également manquer de coordination et se déplacer en zigzaguant à travers les pièces, ce qui accroît son risque de tomber et de se blesser. Au final, la démence peut affecter l'esprit de la personne touchée au point qu'on a du mal à la reconnaître.

Enfin, les personnes atteintes peuvent présenter des comportements inhabituels. Les comportements, les émotions ou les symptômes cognitifs varient. Certaines présenteront surtout des troubles de la mémoire ; d'autres, des troubles du comportement. La personne atteinte peut aussi perdre ses inhibitions. Un de mes collègues qui gardait sa mère chez lui a dû, un soir qu'il recevait à manger, la ramener doucement à sa chambre après qu'elle fut entrée dans le salon en sous-vêtements pour les saluer. Les personnes démentes peuvent également se montrer frustrées et en colère, et manifester ces sentiments sans inhibition. Ainsi, elles peuvent tout aussi bien empoigner et frapper un être cher pour une raison insignifiante et n'éprouver aucun remords ni présenter des excuses.

LA PERSONNALITÉ RÉSIDE DANS LES STRUCTURES DU CERVEAU

Souvent considéré comme le patient le plus célèbre en neurologie, M. Phineas Gage constitue peut-être la meilleure illustration du fait que la personnalité réside dans le cerveau et qu'elle est affectée par la mémoire. Un jour, en 1848, ce contremaître du secteur ferroviaire se servait d'une tige de fer pour tasser de la poudre à canon quand celle-ci explosa. Sous la violence de l'explosion, la tige traversa sa joue gauche, puis déchira son cerveau avant d'être éjectée de son crâne. Ses fonctions motrices étaient suffisamment bonnes pour qu'il puisse marcher jusqu'à un chariot à proximité et demander à voir un médecin. Il était alors âgé de 25 ans. Sa guérison fut longue et difficile mais, grâce aux soins du Dr John M. Harlow, il survécut et préserva ses fonctions motrices ainsi que ses capacités à parler et à marcher ; cependant, sa personnalité changea considérablement. C'était la région préfrontale gauche qui avait été touchée – plus précisément la substance blanche de cette région –, celle que l'on qualifie de président-directeur général du cerveau parce qu'elle nous aide à décider des actions à accomplir et à en inhiber d'autres.

En 1868, le Dr Harlow décrivit ainsi les changements de personnalité observés chez M. Gage : « L'équilibre entre les facultés intellectuelles et les propensions animales semble être détruit. Il a des accès de colère, est irrévérencieux, se laissant parfois aller à jurer de la manière la plus grossière (alors que ce n'était pas son habitude auparavant), manifestant peu de déférence envers ses compagnons, se montrant impatient devant les contraintes ou les conseils quand ils entrent en conflit avec ses désirs, est parfois obstiné à l'excès, malgré tout capricieux et hésitant, concevant de nombreux plans d'opération futurs qui, aussitôt organisés, sont abandonnés au profit d'autres apparemment plus réalisables. Du point de vue de ses capacités et manifestations intellectuelles, il reste un enfant, mais il a les passions animales d'un homme robuste. Avant sa blessure, il possédait un esprit bien équilibré, même s'il n'avait pas fréquenté l'école, et il était considéré comme un homme d'affaires perspicace, intelligent, énergique et persévérant dans l'exécution de ses plans d'opération. À cet égard, son esprit changea d'une manière tellement radicale que ses amis et connaissances disaient de lui que ce n'était plus Gage[13]. »

COMMENT DIAGNOSTIQUE-T-ON LE DÉCLIN COGNITIF ET LA DÉMENCE ?

Le diagnostic de trouble cognitif léger et de démence est variable. Ce que le patient ou les membres de sa famille disent au médecin ou au thérapeute au regard de la fonction de la mémoire, du comportement et du jugement est essentiel pour en arriver à un diagnostic concluant. En médecine, il y a un vieux dicton qui soutient que si, après avoir entendu l'histoire du patient ou de la personne qui en prend soin, vous n'avez toujours pas de diagnostic, alors, vous n'en aurez probablement pas à la suite de l'examen. Par conséquent, ce que le patient confie au médecin est crucial. Néanmoins, en matière d'outils permettant d'établir un diagnostic, nous avons fait beaucoup de chemin.

Dans la Nun Study, comme je le mentionnais plus haut, on a fait passer divers tests cognitifs aux religieuses afin d'évaluer leur mémoire, leur jugement, leurs fonctions exécutives et leur personnalité. Nombre de ces tests demandent beaucoup de temps et, souvent, leurs résultats se chevauchent dans l'évaluation de la fonction cognitive. Ils ne permettent pas nécessairement non plus d'évaluer certaines sphères de la cognition. D'où l'intérêt du MoCA (ou test de Montréal[14]), dont j'ai fait mention précédemment.

Ce test a été mis au point à Montréal en 1996 par le Dr Ziad Nasreddine, qui avait un jour constaté qu'il était inefficace, d'un point de vue neurologique, de consacrer 90 minutes à l'évaluation de la fonction cognitive d'un patient. Prouvant le dicton qui veut que la nécessité soit la mère de l'invention, il créa le MoCA, lequel comprend 11 sous-tests permettant d'évaluer tous les processus mentaux, soit l'attention, la concentration, les fonctions exécutives – qui comprennent la planification et l'organisation –, la mémoire, le langage, la capacité à reproduire une forme de même que l'image d'une horloge indiquant 10 h 50.

Le MoCA permet également d'évaluer la capacité à calculer et à s'orienter de même que la conceptualisation. En principe, le médecin peut le faire passer à ses patients en 15 minutes. Il possède l'énorme avantage sur les autres tests non seulement d'être rapide, mais également d'identifier les sphères cognitives qui pourraient être déficientes, de sorte que, si la chose est possible, on puisse intervenir. Pour toutes ces raisons, le MoCA a été approuvé lors d'une conférence internationale tenue en 2005 et organisée par les National Institutes of Health des États-Unis et le Réseau canadien contre les accidents cérébrovasculaires. Il est maintenant utilisé partout dans le monde, y compris en Europe.

J'insiste sur l'importance pour une personne qui semble souffrir d'un trouble cognitif léger ou de problèmes de mémoire de consulter un médecin, car de simples problèmes de mémoire peuvent évoluer vers la démence. La personne doit donc être examinée et subir des tests permettant de déceler des causes possiblement réversibles de son problème et se faire conseiller sur les moyens à prendre pour les contourner. Le clinicien ou le praticien conduira probablement un examen général et neurologique complet afin de découvrir les causes possibles du problème et prescrira un tomodensitogramme (communément appelé « CAT scan ») ou une IRM du cerveau de même que des analyses sanguines. Ces divers éléments lui permettront d'évaluer l'état de santé général du sujet, de même que les facteurs de risque spécifiques qui pourraient affecter ses fonctions cognitives et tout trouble de la fonction neurologique. Les tests d'imagerie permettent de visualiser le volume du cerveau, d'évaluer s'il y a une atrophie et de déterminer s'il y a présence d'AVC ou d'autres anomalies touchant la fonction mentale. Nous y reviendrons.

LES DÉFIS QUE POSE LA DÉMENCE AUX AIDANTS

La démence est une maladie qui, souvent, n'atteindra le stade de la dépendance complète qu'au bout de plusieurs années. Souvent, c'est un proche qui décidera de prendre soin du parent, désormais malade, qui a donné amour et soins à ses enfants, ou du mari qui a été un compagnon aimant. Cet acte d'amour est très exigeant. L'aidant doit posséder une patience infinie, une réserve illimitée d'humour et une très grande tolérance au stress. Même s'il s'agit d'une personne qu'on a engagée dans ce but, elle doit posséder ces qualités. Si l'espérance de vie moyenne des personnes démentes est de sept ans, certaines peuvent vivre deux décennies. L'aidant peut donc l'être pour longtemps. On estime que 15 millions de personnes aux États-Unis et plus de 1 million de Canadiens font office d'aidants naturels (non rémunérés) auprès d'un parent, d'un membre de la famille ou d'un ami atteint de démence. En France, le plus grand coût associé à la démence est celui pour épauler les aidants[15].

Les aidants font face à de nombreux défis. Ils sont souvent confinés à la maison avec la personne malade. Ils doivent rester alertes jour et nuit afin de s'assurer que cette dernière ne fait pas un geste bizarre ou inattendu, par exemple sortir de la maison en pleine nuit ou se perdre alors qu'elle n'était partie en principe que pour cueillir le journal dans la boîte aux lettres ou sur la véranda. Les patients sont souvent incontinents et peuvent refuser qu'on les aide à se laver ou à prendre un bain. Certains sont agités au point qu'on n'arrive pas à les raisonner et se montrent verbalement ou physiquement violents, ces comportements constituant sans doute le plus grand défi à relever. De plus, souvent, les aidants sont face à la solitude, les visiteurs se faisant de plus en plus rares.

Pour toutes ces raisons, les aidants peuvent manquer de sommeil, être épuisés ou déprimés, et peuvent tomber malades. Il importe qu'ils restent suffisamment en contact avec leurs sentiments et leur état de santé pour être capables, au besoin, de prendre la décision difficile de placer en établissement quelqu'un qui, somme toute, ne les a jamais abandonnés. Entre-temps, les groupes de soutien peuvent s'avérer très utiles dans la mesure où ils permettent de partager ces difficultés avec d'autres et de recevoir amitié et conseils. Dans certains endroits, il existe également des programmes offrant du répit aux aidants, parfois assez pour qu'ils puissent retourner au travail. Informez-vous.

En résumé, pour préserver la mémoire, le cerveau doit être intact. Il importe toutefois de le pousser, à défaut de quoi, il deviendra paresseux. Un cerveau intact est aussi primordial pour préserver sa personnalité, prendre les bonnes décisions au moment opportun et limiter ses pulsions antisociales. Il est essentiel quand on veut rester la personne que l'on est.

Si vous souhaitez approfondir la question, poursuivez votre lecture. Sinon, allez à la prochaine règle, à la page 55.

Comment savoir si le concept de réserve cognitive est valide ? Commençons par comprendre comment le cerveau répond à nos besoins cognitifs.

Comment pense-t-on et mémorise-t-on ?

La richesse de l'information que chacun des 100 milliards de neurones du cerveau envoie et reçoit est, jusqu'à un certain point, déterminée, c'est-à-dire héréditaire. Nos gènes déterminent le nombre et la qualité de nos neurones, de nos autres cellules nerveuses, de leurs connexions et du milieu chimique dans lequel ils vivent. Par conséquent, certaines de nos aptitudes cognitives et certains aspects de notre capacité à raisonner sont hors de notre contrôle. Cependant, comme nous l'avons vu, pour les neurones, les signaux les plus importants sont ceux qu'ils acquièrent par nos activités et notre milieu émotionnel. On appelle « synapses » les points de contact entre les cellules du cerveau ; ils se chiffrent par milliards.

À cinq mois de gestation, le fœtus est doté de toutes les cellules nerveuses qu'il aura à l'âge adulte. L'accroissement du volume du cerveau à compter de ce moment-là est entièrement attribuable à l'augmentation des connexions effectuées par les neurones à leurs extrémités, la réceptrice et l'émettrice. Quand ces connexions sont actives et en santé, nous préservons notre capacité à raisonner rapidement, à calculer, à reconnaître un visage qui nous est familier et à mémoriser un événement, une date ou un lieu. On doit garder à l'esprit ce fait connu de longue date : tout ce que l'on fait, ou ne fait pas, affecte la santé de ces cellules et de leurs connexions[16]. Leur nombre et leurs fonctions changent au fil du temps, mais elles réagissent à l'état de santé de notre corps et à toutes nos activités, fussent-elles physiques, sociales, intellectuelles, émotionnelles ou alimentaires.

Les communications entre les cellules se font par l'entremise d'impulsions électriques, qui nécessitent l'intervention de réactions chimiques dans les cellules et autour d'elles. Toute cette activité est énergivore. C'est ce qui rend le cerveau si dépendant de l'apport en sang. On estime que le cerveau d'un adulte contient 600 kilomètres de vaisseaux sanguins. À poids égal, c'est plus que tout autre organe du corps. Bien qu'il ne stocke pas l'énergie, il en a un besoin constant en tout temps. Qu'on soit éveillé ou endormi, qu'on rêvasse ou calcule, qu'on soit étendu ou en train de courir, le sang lui fournit une quantité variable, mais adéquate, d'énergie. Si l'apport sanguin à l'une ou l'autre de ses parties est insuffisant, une panne survient, ce qui se traduira à la longue par une difficulté à raisonner, à mémoriser ou à mettre en œuvre une autre fonction cognitive.

Compte tenu de la nécessité de stocker l'information et d'y accéder rapidement, le cerveau a évolué de manière que des tâches différentes soient assignées à des parties différentes. On estime que chaque région cérébrale à laquelle une tâche spécifique est assignée reçoit et intègre de l'information en provenance de 55 autres régions avant qu'elle n'envoie un signal d'action le long des axones. La cognition, la pensée, la mémoire sont des fonctions tellement importantes que plusieurs parties du cerveau s'en mêlent. Cependant, tout comme il y en a qui ont pour fonction de faire bouger notre bras ou notre jambe, de nous permettre de voir ou de garder notre équilibre, d'autres ont la tâche importante de nous aider à mémoriser, à acquérir un bon jugement et à nous comporter convenablement. Ces activités complexes nécessitent un certain nombre de structures que nous décrirons mais, pour comprendre les rôles qu'elles jouent, voyons d'abord les différents types de mémoires et les autres fonctions cognitives.

Combien de mémoires le cerveau possède-t-il ?

Le nombre et la diversité des faits que nous conservons dans notre cerveau sont incroyables ! On ne mémorise pas que les informations nous concernant (date de naissance, âge, nom et histoire des membres de la famille) et concernant le monde dans lequel on vit (on sait, par exemple, que Paris est la capitale de la France), mais aussi le chemin pour aller au travail et en revenir, l'emplacement du café qu'on aime fréquenter et comment s'y rendre, de même que la façon de monter à vélo.

Les chercheurs ont donné des noms à ces diverses mémoires. Les mémoires déclaratives ou explicites renvoient à la capacité à citer un fait de mémoire : soit épisodique (j'ai reçu quatre personnes à manger jeudi dernier), soit sémantique (John Lennon était l'un des quatre Beatles). Les mémoires non déclaratives – les choses qu'on se rappelle de faire automatiquement et sans y penser consciemment – renvoient aux aptitudes et aux compétences dont on se souvient et que l'on peut reproduire en tout temps, par exemple la lecture, l'écriture, le chant. En effet, il faut de la mémoire pour parler correctement et chanter sans fausser. Si les scientifiques font ces distinctions, c'est que le cerveau traite l'information qu'on lui envoie différemment selon qu'il s'agit d'apprendre une compétence ou un fait.

La figure 1.3 décrit une partie très importante de notre système de stockage mémoriel, soit le système limbique. Nous explorerons les activités qui le stimulent et en quoi il nous est utile.

FIGURE 1.3 PARTIES DU CERVEAU LIÉES AUX ÉMOTIONS, À LA MÉMOIRE ET À LA PRISE DE DÉCISION

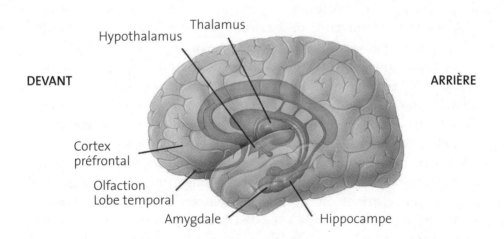

Le système limbique est enfoui profondément dans le cerveau ; certaines de ses parties sont hyper-spécialisées. L'enregistrement de l'information a été assigné à l'hippocampe. C'est là qu'aboutissent les faits explicites aussitôt qu'ils se forment. Selon qu'il est important ou non de les conserver et, le cas échéant, pendant combien de temps, l'hippocampe pourrait les faire passer de la mémoire à court terme à la mémoire à long terme. Si l'information n'est nécessaire que pour un court laps de temps, il la conservera. À mesure que le temps passe, il doit décider, en tenant compte de l'information qui lui est fournie, si elle mérite d'être conservée. Si c'est le cas, il l'expédiera dans d'autres régions du cerveau responsables du stockage, de sorte qu'il puisse se consacrer à traiter une information nouvelle ou récente. Si nous savons cela, c'est que l'interruption de l'activité de l'hippocampe porte atteinte à la mémoire récente, mais pas à la mémoire à long terme[17].

Le critère dont se sert l'hippocampe pour décider s'il stockera ou non une information dans la mémoire à long terme a à voir avec la valeur émotionnelle que revêtent pour la personne les faits en question. C'est ainsi qu'une personne dont la mémoire récente fonctionne mal à cause de lésions à l'hippocampe peut se mettre à chanter en entendant de la musique qu'elle écoutait enfant. En effet, malgré les lésions à son hippocampe, les souvenirs déjà stockés dans des régions telles que le lobe temporal peuvent être ramenés à la mémoire.

Si nous avons pu confirmer cette relation entre souvenirs anciens et souvenirs récents, c'est que les maladies ou les blessures qui affaiblissent ou détruisent l'hippocampe peuvent rendre difficile, voire impossible, le stockage d'une nouvelle information, mais permettent tout de même de ramener à la mémoire les souvenirs plus anciens. Nous avons ainsi appris que seuls les souvenirs récents logent dans l'hippocampe ; s'ils doivent être stockés à long terme, ce sera ailleurs. D'autres observations ont permis de montrer que, même si l'hippocampe est intact, les lésions à ses structures adjacentes, par exemple le thalamus ou les lobes temporaux, peuvent entraîner des pertes de mémoire. De ce fait, si le volume de la partie antérieure du lobe temporal diminue, on a plus de mal à nommer les choses ou les gens. C'est vrai aussi dans le sens inverse : des souvenirs depuis longtemps oubliés peuvent être ramenés à la mémoire si les lobes temporaux sont activés.

Les lésions à l'hippocampe ou à ses connexions peuvent être désastreuses pour la mémoire

J'ai l'honneur de connaître le Dr Brenda Milner. Quand j'ai fait mon internat en neurologie, puis que je suis devenu membre du personnel de l'Institut de neurologie de Montréal, j'ai eu de nombreuses possibilités de la rencontrer et d'assister à ses conférences. À 96 ans, c'est toujours une neuropsychologue active et productive. Récemment, elle a remporté le prix Kavli pour la découverte de réseaux du cerveau spécialisés dans la mémoire et la cognition. Elle a beaucoup écrit sur un patient, connu sous ses initiales H. M., et qui dut subir une grave intervention chirurgicale dans le but de soigner une épilepsie réfractaire. L'intervention consistait à enlever des parties importantes de l'hippocampe, des deux côtés. Alors que H. M. était capable d'apprendre les nouvelles tâches que le Dr Milner lui enseignait (il lui restait une partie de sa mémoire procédurale), il ne pouvait se rappeler avoir été en relation avec elle, comme si chacune de ses visites était la première.

La Nature nous a également fourni une expérimentation malheureuse qui a récemment confirmé ce que nous avions appris avec H. M. sur le rôle de l'hippocampe dans la fonction de la mémoire. À la fin de 1987, 150 personnes furent empoisonnées par des moules contaminées par de l'acide domoïque, une substance toxique[18]. Quatre d'entre elles ont péri, tandis que le tiers a souffert d'anomalies neurologiques.

Quatorze des individus les plus affectés ont subi un examen complet. Au bout de 48 heures, tous avaient manifesté de la confusion et étaient désorientés. Il a fallu à certains d'entre eux 12 semaines pour se rétablir et, du coup, se rendre compte qu'ils avaient de graves problèmes de mémoire. Leurs autres fonctions cognitives, par exemple leur QI, leurs aptitudes linguistiques et leur contrôle émotionnel, étaient presque intacts, mais ils souffraient tous d'amnésie. Si vous prononciez une phrase en leur demandant de la répéter aussitôt, ils y arrivaient, mais si vous laissiez passer un peu de temps et la leur demandiez de nouveau, ils ne s'en souvenaient pas. Ils souffraient de ce que nous appelons l'« amnésie antérograde », celle-là même qui avait affecté H. M. Les sujets les plus touchés souffraient également d'amnésie rétrograde, c'est-à-dire qu'ils ne pouvaient déterrer de leur mémoire des événements passés importants de leur vie.

Où était le problème ? Il se situait dans l'hippocampe et dans le noyau voisin, l'amygdale, située sur les côtés droit et gauche du cerveau. Bien que ces structures paraissaient normales à l'imagerie par résonance magnétique (IRM), les autres méthodes, par exemple la tomographie par émission de positons (TEP), révélaient qu'elles étaient loin de consommer des quantités d'énergie normales. Autrement dit, les cellules de ces structures avaient été empoisonnées à mort[19]. Cet événement malheureux a permis de confirmer l'importance du rôle qu'un hippocampe en santé joue dans les fonctions de la mémoire. Il a également entraîné la mise sur pied de mesures d'évaluation plus strictes de la qualité des moules, qui restent l'un de mes grands plaisirs culinaires.

Des collègues du Japon ont récemment rapporté le cas d'un homme de 56 ans qui présentait un trouble de la mémoire après une rupture de l'anévrisme ayant détruit son hippocampe gauche[20]. Ses mouvements, son langage et ses sensations étaient normaux, mais il n'avait aucun souvenir de l'événement soudain qui l'avait conduit à l'hôpital ou de ceux qui s'étaient produits depuis. Dès qu'une conversation était finie, il l'oubliait même si elle avait été tout à fait normale. Le patient n'avait aucune difficulté à se remémorer de vieux souvenirs, mais il n'arrivait pas à en former de nouveaux.

Les fonctions cognitives au-delà de l'hippocampe

Malgré l'accent mis dans ces pages sur le rôle du système limbique et de l'hippocampe, on doit garder à l'esprit que de multiples structures et régions du cerveau jouent un rôle dans la mémoire et influent sur notre jugement, notre comportement et nos autres fonctions cognitives. Les preuves à cet égard nous viennent de diverses observations additionnelles. La stimulation de certaines parties de l'amygdale durant une intervention chirurgicale, par exemple, produit des réactions de rage qui sont suscitées par la peur et, de plus, le patient se comportera comme s'il mangeait. En outre, on assistera à une production d'hormones et à une élévation de la pression artérielle. Cela nous montre que notre mémoire est reliée à de nombreuses autres fonctions, dont nos émotions, nos activités quotidiennes et notre comportement tant volontaire qu'automatique.

Les accidents ou les interventions chirurgicales ayant affecté les lobes temporaux ou d'autres parties du système limbique apportent d'autres preuves de la très grande importance de la mémoire. Ainsi, quand les lobes temporaux sont lésés, non seulement assistera-t-on à de graves déficits cognitifs, mais les personnes touchées pourraient aussi présenter des troubles du comportement tels que dépression, violence épisodique et dysfonctionnement sexuel.

Le cortex préfrontal est souvent qualifié par les neuroscientifiques de PDG du cerveau, car c'est dans cette région que sont prises les décisions rapides quant à la manière de se comporter. Le lobe frontal attire notre attention sur ce qui est le plus pertinent à ce moment-là. Si la mémoire est touchée, les décisions pourraient être tardives, peu fiables ou inhabituelles. Il importe donc de reconnaître que le système limbique intervient non seulement dans la mémoire, mais également dans les systèmes qui influent sur le comportement et les émotions, et qu'il pourrait même être lié à ceux qui régulent les fonctions physiques telles que la pression artérielle et le rythme cardiaque.

Comme le montre la figure 1.3 (page 41), le cortex préfrontal fait partie du système qui régule les émotions. Sa partie antérieure est responsable des émotions positives, tandis que la partie postérieure est associée aux émotions négatives. Chez la plupart d'entre nous, ces deux régions s'équilibrent. On peut toutefois imaginer facilement le problème potentiel si l'une de ces deux régions est lésée alors que l'autre reste intacte et prédomine.

Voici un autre exemple de la manière dont la mémoire est liée au comportement et influe sur lui. Vous marchez sur le trottoir. Bien que vous n'en ayez pas conscience, votre cerveau scrute constamment votre entourage. Nous appelons cela le « traitement des scènes », chose que le cerveau fait sans arrêt. Soudain, il prête attention à quelque chose et vous avertit que vous pourriez reconnaître quelqu'un qui avance vers vous. Alors que la personne se rapproche, vous la reconnaissez et voyez en elle soit une amie, soit une personne que vous n'aimez pas. Fabuleux, n'est-ce pas ? Songez-y ! D'abord votre cerveau a activé un processus connu sous le nom d'« attention sélective », puis il a enregistré une image de la personne dans la partie responsable de la vision, qui se trouve dans le lobe occipital situé à l'arrière du cerveau, et a envoyé l'information à l'hippocampe. Si vous avez vu cette personne récemment, son visage pourrait toujours être dans votre hippocampe ; par contre, si cela fait un moment, il pourrait ne se trouver que dans les régions plus éloignées du cortex.

Quoi qu'il en soit, le message de reconnaissance qui en ressort est envoyé aux centres émotionnels du cerveau en vue d'une confirmation. Le cortex préfrontal, le PDG du cerveau, absorbe toute cette information et prend une décision exécutive : vais-je sourire à cette personne qui s'avère être un ami ou vais-je tourner les talons et fuir parce qu'il s'agit d'un ennemi ? Si je choisis la seconde solution, l'information est envoyée aux centres du cerveau qui régulent la pression artérielle et le rythme cardiaque, et qui envoient de l'énergie aux jambes afin que vous puissiez courir. Bien que nous ne soyons pas entièrement conscients de ces réactions qui se produisent dans le cerveau, on peut facilement imaginer qu'une perturbation de ce système, quelle qu'en soit la raison, pourrait avoir des conséquences tragiques.

Un patient m'a consulté récemment en se disant très contrarié que sa mère, qui souffrait de démence et vivait dans une résidence pour personnes âgées, ne l'ait pas reconnu la dernière fois qu'il était allé la voir. On peut penser que ses fonctions visuelles étaient intactes – elle le voyait –, mais quand l'information visuelle avait été envoyée à l'hippocampe et au-delà, l'image de son fils, qui avait été auparavant stockée, avait disparu en conséquence de sa maladie, si bien qu'elle ne reconnaissait pas la personne qui se tenait devant elle. Il en était littéralement dévasté. Dans ces moments-là, on se rend bien compte que, en présence de démence, la personne malade n'est pas la seule à souffrir.

Comme on peut l'imaginer, l'information est transmise très rapidement dans le cerveau. Dans l'exemple de la personne qui en rencontre
une autre et la reconnaît, tout le processus s'est déroulé en moins d'une
milliseconde. On pourrait penser que le fait d'envoyer de l'information
par les milliers de connexions de chacune des cellules est un processus
long et fastidieux, et ce pourrait être le cas, mais le cerveau possède un
système de transmission très rapide : la myéline. De plus, cet organe a
évolué de manière que les neurones se trouvent essentiellement dans
la couche ondulée externe du cerveau, que nous appelons le « cortex »
ou la « matière grise », tandis que les axones myélinisés se trouvent
dans la couche plus profonde, la « substance blanche », qui tire son nom
du fait que la myéline est de couleur plus claire. La figure 1.4 ci-dessous
est une image obtenue par résonance magnétique montrant la disposition de la matière grise sous forme de ruban dans les couches exté-
rieures et la substance blanche plus proche du centre.

**FIGURE 1.4 IRM D'UN CERVEAU NORMAL MONTRANT LES STRUCTURES
DE SUBSTANCE BLANCHE ET DE MATIÈRE GRISE**

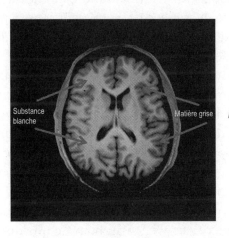

Substance blanche   Matière grise

Si on comparait les neurones à des téléphones, alors les axones myélinisés tiendraient lieu de lignes téléphoniques. La transmission à travers eux se produit très rapidement à la condition qu'ils soient en bon état. Ils ne sont pas utiles qu'à la mémoire, mais aussi à d'autres éléments qui se conjuguent pour former ce qu'on appelle généralement la « personnalité » : jugement intact, contrôle émotionnel approprié, respect de soi, imagination, prévoyance ainsi que de nombreuses autres caractéristiques et fonctions. Par conséquent, même si la mémoire est au cœur de nos fonctions cognitives, collectivement, ces fonctions exploitent les énergies des principales parties de notre cerveau. Quand la mémoire est touchée, la personnalité change aussi.

Les causes réversibles des troubles de la mémoire

Quand il a été question de Mme B., j'ai mentionné que j'avais examiné les diverses causes réversibles possibles de la démence. Je vais m'étendre un peu plus sur la question.

Les carences vitaminiques peuvent causer des troubles de la mémoire, particulièrement le déficit en thiamine, ou vitamine B$_1$. On observait généralement ce déficit chez les grands buveurs, trouble souvent associé à une mauvaise alimentation, et chez d'autres personnes qui, en raison de troubles digestifs, vomissent sans arrêt. Quand le taux de thiamine baisse, le cerveau utilise moins bien le glucose, source essentielle d'énergie.

La situation suivante a souvent été observée. Un patient gravement déshydraté est emmené à l'urgence après qu'on l'eut trouvé ivre mort. Un jeune interne lui administre une injection intraveineuse d'un liquide contenant du glucose dans le but de le réhydrater, précipitant ainsi ce qu'on appelle le « syndrome de Wernicke-Korsakoff ». Le patient devient très confus en plus de voir double. Il souffre également d'un trouble de la mémoire antérograde : vous entrez dans la pièce où il se trouve, vous vous présentez à lui, bavardez un peu avec lui, puis vous sortez de la pièce et revenez au bout de quelques minutes. C'est comme s'il ne vous avait jamais rencontré. Souvent, ce problème s'accompagne d'affabulations, c'est-à-dire d'histoires incohérentes que le patient raconte en long et en large, et d'hallucinations visuelles. Ces symptômes cognitifs diminuent en intensité aussitôt qu'on lui administre de 50 à 100 mg de thiamine par voie intraveineuse ou intramusculaire. Combien d'internes se sont trouvés dans l'embarras après avoir fait venir des collègues à l'urgence pour voir un supposé cas de Wernicke-Korsakoff alors qu'ils découvraient en fait un patient normal qui venait tout juste de recevoir une injection de vitamine B_1 !

On doit aussi s'assurer qu'il ne s'agit pas d'un manque de vitamine B_{12} ou de folate (vitamine B_9), la carence en l'une ou l'autre pouvant être associée à des troubles de la mémoire, de même qu'à une élévation du taux d'homocystéine, une protéine, ce qui peut avoir des conséquences néfastes sur la santé des vaisseaux sanguins.

L'hypothyroïdisme, maladie causée par une production trop faible d'hormone par la thyroïde, est une autre cause réversible de la démence. Cette insuffisance thyroïdienne entraîne d'abord un ralentissement mental et de l'apathie puis, si le problème n'est pas dépisté ni traité, possiblement une véritable démence.

L'hydrocéphalie à pression normale est une autre maladie qui peut causer des troubles de la mémoire et cognitifs, s'accompagnant généralement d'une difficulté à marcher et d'incontinence. Si l'examen et les antécédents neurologiques donnent à penser que c'est le cas et si la gammaencéphalographie (*brain scan*) ou l'IRM sont compatibles avec ce diagnostic, alors un examen destiné à vérifier la dynamique de la circulation du liquide céphalorachidien (soit une cisternographie) sera nécessaire. Si tout cela a de l'importance, c'est qu'une intervention chirurgicale relativement simple, consistant à insérer une dérivation qui permettra d'éliminer les surplus de liquide céphalorachidien de manière contrôlée, peut souvent renverser les problèmes de marche et de mémoire.

Désormais, on reconnaît aussi que les traumatismes répétés à la tête sont des causes potentielles de démence. Le cerveau est tout simplement impitoyable devant des secousses répétées ainsi que vis-à-vis des accélérations, des décélérations et des rotations subites. Ce n'est pas pour rien que, parmi tous les organes, il soit le seul à être enfermé dans une boîte osseuse serrée, résistante et rigide. Si vous faites une chute en vélo, vous ne souffrirez pas de démence à la condition de ne pas aller trop vite et de porter un casque. Par contre, si vous êtes un boxeur, vous pourriez souffrir de démence pugilistique et si vous êtes un joueur de foot qui frappe trop souvent et trop vigoureusement le ballon avec sa tête, à la longue, vous pourriez affecter la capacité de votre cerveau à raisonner.

Cette prise de conscience entraîne une remise en question de la manière dont on joue à certains sports d'équipe, notamment au hockey, où les bagarres entre joueurs sont encore malheureusement considérées par certains amateurs comme un divertissement additionnel. Cependant, on prend de plus en plus conscience que les règles doivent changer, car ce qu'on considère comme un divertissement consiste en fait en une atteinte potentielle à la santé mentale et aux facultés cognitives des joueurs, qui en souffriront jusqu'à la fin de leurs jours.

Enfin, il importe de connaître, le cas échéant, le nom des médicaments d'ordonnance ou en vente libre que prennent les personnes souffrant de troubles de la mémoire. Le risque de démence est plus grand chez les gens qui prennent des doses élevées de médicaments bloquant le neurotransmetteur qu'est l'acétylcholine, et ce, sur de longues périodes. Ces médicaments sont habituellement prescrits pour le traitement d'allergies telles que la rhinite allergique saisonnière, pour favoriser le sommeil ou pour traiter l'incontinence urinaire. Certains antidépresseurs peuvent également exercer un effet anticholinergique.

L'incapacité provisoire à former certains souvenirs

À l'occasion, une personne se trouvera soudainement incapable de former des souvenirs à propos de certains endroits ou de certains moments, problème qui se résorbe au bout de quelques heures. Qualifié d'ictus amnésique (IA) par les neurologues, ce trouble se produit dans des situations d'anxiété extrême ou lors d'activités nécessitant la manœuvre de Valsalva, terme médical désignant des grognements ou des efforts physiques.

Quand j'ai débuté comme neurologue à Montréal, Jean, un homme de 46 ans, m'a été adressé depuis la salle des urgences pour un épisode d'IA. À ma clinique, il m'a dit qu'il devait dire à quelqu'un toute la vérité, ce qu'il n'avait pas fait jusque-là. C'était une drôle de manière de commencer la consultation, mais je lui ai répondu que la vérité facilitait toujours mon travail de médecin.

Il était marié avec Charlotte depuis 16 ans et avait trois enfants âgés de 13, 11 et 7 ans. Il disait avoir toujours été un homme fidèle et un bon père. Cependant, étant donné les exigences du travail et de la vie de famille, particulièrement les événements sportifs auxquels les enfants participaient, la sexualité n'était plus une priorité entre son épouse et lui, chose qui le frustrait. Ils en avaient discuté à plusieurs reprises mais, en dépit du fait que sa femme était consciente du problème et de leurs tentatives de le corriger, la vie semblait toujours se mettre en travers de leur chemin.

C'est alors qu'il a rencontré Jessie, m'a-t-il raconté. Elle avait été engagée par sa firme un an plus tôt comme cadre supérieur et, en plus d'être une femme brillante dans la trentaine, elle était amicale et souriait facilement. Elle avait complimenté Jean à quelques reprises sur la qualité de son travail. De plus, il leur était arrivé de manger ou de prendre une pause ensemble. Il avait appris qu'elle était chef d'une famille monoparentale et qu'elle partageait la garde de sa fille de cinq ans avec le père, en alternant les semaines.

L'après-midi de son admission à la salle des urgences, il avait rencontré Jessie afin de finaliser les détails d'une soumission pour un nouveau contrat, même si c'était un samedi. Sa femme s'était rendue avec les trois enfants à un tournoi de hockey et, de son côté, la fille de Jessie était chez son ex. Une fois leur travail terminé, ils ont décidé de manger ensemble. Ils ont pris un délicieux repas et quelques verres de vin. Comme Jessie se sentait légèrement ivre, il a offert de la suivre en voiture jusqu'à son appartement, qui était à environ 20 minutes de là.

Dans sa voiture, Jean se sentait particulièrement anxieux. Il se demandait si Jessie l'inviterait à monter chez elle. Il se disait que ce serait sensationnel de faire l'amour avec elle, imaginant toutes les différentes manières de le faire, mais, en même temps, il savait que ce serait une situation compliquée, d'autant plus qu'il avait toujours été fidèle à sa femme. Il se rendait compte que son cœur battait à tout rompre, que sa respiration s'accélérait et qu'il transpirait légèrement. Ils sont finalement arrivés chez Jessie. Il a garé sa voiture à côté de la sienne, a regardé la jeune femme et, en jetant un coup d'œil tout autour, lui a demandé : « Où suis-je ? » Elle lui a dit qu'ils étaient dans son garage. Il a regardé tout autour de nouveau puis, comme si elle n'avait pas répondu, lui a redemandé où il se trouvait. Il a répété plusieurs fois la question, de même que d'autres avec autant de persistance, par exemple : « Quelle heure est-il ? »

Jessie a fini par comprendre que quelque chose n'allait vraiment pas. Craignant qu'il s'agisse d'un AVC, elle s'est rappelé qu'on pouvait le vérifier au moyen de l'échelle VITE (Visage, Incapacité, Trouble de la parole et Extrême urgence ; pour en savoir plus sur cette échelle, consultez l'annexe 1, page 204). Le visage de Jean était symétrique, ses bras tendus étaient à la même hauteur et son élocution était normale. Ce n'était donc pas un AVC et il n'y avait pas d'urgence immédiate. Mais quelque chose n'allait tout de même pas.

Jean a accepté de se rendre à la salle des urgences et elle l'a suivi dans sa voiture afin de s'assurer qu'il ne se perdait pas. Il semblait conduire sans difficulté et n'a pas eu de mal à s'enregistrer aux urgences. Une fois installé confortablement et ses signes vitaux enregistrés, il a cessé soudainement de demander à répétition où il était et quelle heure il était. Le médecin urgentiste a établi rapidement un diagnostic d'IA. Jean n'a pas confié au personnel des urgences ce qui avait déclenché le problème, d'où le fait qu'il veuille me rencontrer à ma clinique pour m'en faire part.

Voilà donc une situation inhabituelle qui nous en a appris beaucoup sur la manière dont les nouveaux souvenirs se déposent dans la mémoire. Durant un épisode d'IA, bien que le patient soit incapable d'enregistrer de nouveaux souvenirs, ce qu'on appelle « amnésie antérograde », il est parfaitement conscient, communicatif et alerte. Il peut conduire et effectuer d'autres tâches complexes. Il semble que le problème vienne de ce que la partie spécifique du cerveau qui enregistre de nouveaux souvenirs ne fonctionne pas du fait d'un apport de sang insuffisant.

On a observé que ce ralentissement focal durant un IA affectait l'hippocampe et la région temporale médiane, et on a établi une corrélation entre l'IA et l'anxiété grave, l'activité physique intense, la tension, la douleur aiguë et les rapports sexuels. Comme les symptômes durent de une à huit heures pour disparaître ensuite, on a émis l'hypothèse que l'anxiété ou l'activité physique provoquait la libération par le cœur ou une artère d'un petit caillot sanguin ayant juste la taille voulue pour bloquer les vaisseaux alimentant les structures décrites, et qu'il finissait par traverser la région donnée ou par se dégrader, entraînant ainsi la résolution des symptômes. Ce cas nous démontre l'extrême dépendance de notre cerveau d'une perfusion sanguine ininterrompue pour former des mémoires.

Jusqu'à présent, nous avons essentiellement traité du côté positif de la réserve cognitive. Nous aborderons dans les pages qui suivent le côté débiteur de l'équation – toutes ces conditions qui contribuent à réduire la capacité de réserve cognitive du cerveau et à accroître notre vulnérabilité à la démence, et ce qu'il faut faire pour les éviter ou les contrer. Nous étudierons les mesures à prendre tout au long de l'existence pour accroître les crédits de la réserve cognitive et freiner l'épuisement de ses ressources.

RÈGLE Nº 2

ÉVITEZ LES ATTEINTES
À VOS FACULTÉS COGNITIVES

J e m'attarderai maintenant à souligner les mesures que vous pouvez prendre pour améliorer le solde crédit-débit des habiletés cognitives de votre cerveau. Quelles sont ces choses affreuses qui peuvent entraîner une baisse de notre réserve cognitive ? Lesquelles peut-on prévenir, donc éviter, et lesquelles sont hors de notre contrôle ? En gardant à l'esprit le fait que toute interruption des circuits du cerveau, aussi faible soit-elle, peut affecter notre capacité à raisonner, à mémoriser ou à porter des jugements appropriés, laissez-moi passer brièvement en revue certaines maladies qui peuvent mener à la démence et indiquer si elles sont évitables ou pas.

LES MALADIES POUVANT MENER À LA DÉMENCE ET QU'ON NE PEUT PRÉVENIR

La plupart des personnes qui souffrent de la maladie de Parkinson connaîtront des troubles cognitifs et pourraient même présenter de la démence. La sclérose en plaques exerce le même effet fâcheux chez les gens qui en souffrent. Les cancers avancés qui envahissent le cerveau peuvent aussi y mener. Voilà donc trois maladies que nous connaissons bien, mais pas suffisamment pour les prévenir ou réduire leurs conséquences fâcheuses sur l'esprit et les fonctions cognitives.

D'autres maladies moins répandues peuvent également affecter le cerveau et mener à la démence. Par exemple, la dégénérescence frontotemporale, ou maladie de Pick, entraîne une atrophie graduelle des lobes frontaux et temporaux du cerveau, régions essentielles au contrôle des émotions, à la prise de décision et au jugement. Bien que la mémoire ne soit pas initialement affectée, l'individu qui souffre de démence frontotemporale peut cesser de parler, devenir apathique et se comporter de manière étrange, tout cela correspondant à ce que l'on sait de la démence.

Cependant, la principale affection qui mène à la démence et qu'on ne peut ni prévenir ni soigner, du moins pour l'heure, est la maladie d'Alzheimer. On la définit par deux sortes de dépôts caractéristiques dans le cerveau – des plaques et des enchevêtrements –, visibles quand on examine cet organe au microscope. Les plaques, qui ressemblent à des taches, sont causées par des dépôts, dans les vaisseaux sanguins du cerveau ou dans le cerveau lui-même, de bêta-amyloïde (ou β-amyloïde), une protéine. Au microscope, les enchevêtrements ressemblent plutôt à des cheveux emmêlés ; leur analyse révèle qu'ils résultent de dépôts d'une autre protéine, la tau.

La figure 2.1A présente un hippocampe normal, alors que les figures 2.1B et 2.1C présentent un hippocampe envahi par ces plaques et ces enchevêtrements.

FIGURE 2.1 DIFFÉRENTES REPRÉSENTATIONS D'UN HIPPOCAMPE

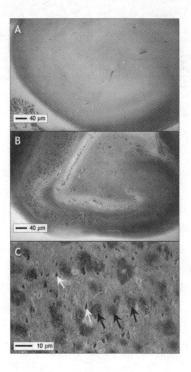

A. Hippocampe normal.

B. Hippocampe d'un patient souffrant de la maladie d'Alzheimer à faible grossissement. Les nombreuses taches qu'on aperçoit dans cet hippocampe anormal sont les plaques typiques de la maladie d'Alzheimer.

C. À plus fort grossissement, ces plaques sont plus évidentes (flèches noires) et les enchevêtrements (flèches blanches) caractéristiques de la maladie d'Alzheimer sont clairement visibles.

Chez les patients souffrant gravement de la maladie d'Alzheimer, l'imagerie par résonance magnétique (IRM) nous renseigne beaucoup[21], comme on peut le voir à la figure 2.2.

FIGURE 2.2 IRM D'UN CERVEAU NORMAL ET DU CERVEAU D'UN PATIENT SOUFFRANT DE LA MALADIE D'ALZHEIMER

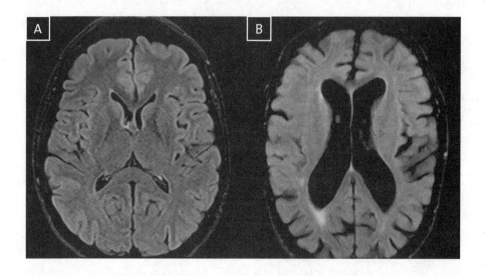

A. IRM d'un cerveau normal.
B. IRM du cerveau d'un patient souffrant de la maladie d'Alzheimer.
L'organe est sérieusement atrophié.

Voyez ces images comme une tranche qu'on aurait prélevée sur le cerveau juste au-dessus des oreilles. La convention veut qu'elles soient projetées comme si on les regardait de dessous, autrement dit la partie de l'image qui se trouve du côté gauche de l'observateur correspond à la partie droite du cerveau observé. Le cerveau normal, à gauche, remplit tout l'espace à l'intérieur du crâne. Les structures noires qu'on aperçoit sur l'image correspondent en fait au liquide céphalorachidien qui circule dans les ventricules et dans lequel l'organe baigne. À droite, on aperçoit le cerveau d'une personne qui a perdu une grande quantité de matière cérébrale, du fait de la mort des cellules nerveuses et de leurs connexions, et qui souffre de démence. L'espace vide laissé par le cerveau ratatiné est désormais rempli du liquide céphalorachidien provenant de l'expansion des ventricules; il s'agit de ces vastes régions noires au centre. Le rétrécissement du cortex et l'élargissement des ventricules chez un patient atteint de démence caractérisent la maladie d'Alzheimer.

JUSQU'À QUEL POINT LA MALADIE D'ALZHEIMER CONTRIBUE-T-ELLE À LA DÉMENCE ?

Dans la plupart des articles qu'on peut lire sur ce sujet, il est dit que la maladie d'Alzheimer constitue la cause principale de la démence. Il y a une tendance, même dans la documentation scientifique, à considérer toutes les démences comme s'il s'agissait de la maladie d'Alzheimer. L'avènement de l'imagerie cérébrale et la découverte de meilleures corrélations entre la démence et d'autres maladies nous ont permis de revoir cette affirmation. On s'entend désormais sur le fait qu'un autre genre de pathologie ou d'anomalie peut contribuer à la démence de manière importante : l'atteinte qui touche les vaisseaux sanguins alimentant le cerveau. Elle entraîne des conséquences graves sur la fonction cérébrale, y compris l'évolution de la démence. Cette découverte nous permet d'estimer la contribution des maladies vasculaires à la démence au sein de la population et change radicalement ce que nous croyions être les causes de celle-ci.

Pour expliquer mon propos, je vous renvoie à deux études. La première[22] a précisé que la maladie d'Alzheimer ne contribuait qu'à environ 27 % de la démence au sein de la population, tandis que la deuxième[23] établissait que 79,9 % de la population souffrant de démence présentait des anomalies des vaisseaux sanguins au cerveau et ailleurs.

Ces découvertes montrent que l'atteinte des vaisseaux qui alimentent le cerveau contribue à la démence à hauteur de 75 %. Ce fait a une implication importante, à savoir que la prévention des maladies vasculaires, particulièrement tôt dans la vie ainsi que dans la cinquantaine ou même plus tard, constitue notre meilleure chance de faire baisser notre risque de souffrir de démence et d'en retarder l'apparition. Voyons donc en quoi consiste cette maladie et ce que nous pouvons faire pour prévenir son apparition dans le cerveau.

L'ATTEINTE VASCULAIRE AU CERVEAU

L'apport de sang au cerveau peut être entravé à divers degrés et pour diverses raisons. Quand les parois des grosses artères, telles que les carotides qui traversent le cou, s'épaississent et, en conséquence, se durcissent, il s'agit d'athérosclérose. Les vaisseaux sont moins souples et si leurs parois continuent d'épaissir, l'apport en sang aux parties desservies par l'artère en question pourrait s'avérer insuffisant. Si le médecin appuie son stéthoscope contre votre cou, c'est qu'il veut savoir s'il entendra le bruit caractéristique du sang traversant une carotide rétrécie. Si l'apport en sang tombe sous le niveau de tolérance du cerveau et y reste durant plus de quatre ou cinq heures, celui-ci souffrira de lésions. C'est ce qui se passe quand les cellules cérébrales affamées n'obtiennent pas l'énergie dont elles ont besoin et que la personne fait un AVC.

Bien que le rétrécissement d'une grosse artère puisse être compensé jusqu'à un certain point par la dilatation des autres artères qui couvrent aussi son territoire, celui des petites artères secondaires, ou artérioles, ou même les lésions causées aux plus petits vaisseaux pénétrants, ne l'est pas, car il n'y a pas d'artères ou de vaisseaux collatéraux qui pourraient s'y substituer. Par conséquent, l'occlusion d'une artériole ou d'un vaisseau pénétrant entraînera des lésions dans une petite partie du cerveau, habituellement au niveau de la substance blanche, là où sont réunies les lignes de transmission des neurones.

Si la structure du cerveau est attaquée de façon notable, la personne souffrira de conséquences négatives : elle aura du mal à penser clairement, à mémoriser et à faire preuve de jugement. Voilà pourquoi la forme la plus répandue de trouble cognitif est causée par la maladie vasculaire. Selon son emplacement et sa gravité, le trouble vasculaire sera ressenti ou pas par le patient au moment où il se produit, mais il entraînera presque assurément des anomalies visibles à l'examen, sur les images ou lors d'une évaluation de la fonction cognitive par le médecin.

Le cerveau ne pardonne pas les atteintes vasculaires.

LES AVC MANIFESTES

Madame J., une cadre de 57 ans travaillant pour une banque, s'enorgueillissait de son mode de vie exemplaire quand elle était en congé.

Devenus adultes, ses enfants étaient partis et elle appréciait la vie qu'elle menait avec son mari. Trois mois auparavant, elle avait passé son bilan de santé annuel haut la main. Cependant, elle avait demandé à voir son médecin parce qu'elle avait remarqué, chose inhabituelle, qu'elle manquait de plus en plus de souffle quand elle faisait du tapis roulant. Elle devait le voir une semaine plus tard. Elle ne prenait pas de médicaments, ne fumait pas, mais s'autorisait un verre de vin quotidien.

Un soir, après le repas, elle a laissé tomber accidentellement une assiette qu'elle tenait dans la main droite. Son mari lui a demandé ce qui n'allait pas, mais elle n'a pas pu répondre et quand elle est sortie de la pièce, il était évident qu'elle boitait de la jambe droite. Son mari l'a aidée à marcher jusqu'au canapé et à s'étendre, puis il s'est précipité sur le téléphone pour composer le numéro de téléphone d'urgence (911 en Amérique du Nord; 112 en Europe). L'ambulance est arrivée 12 minutes plus tard et les ambulanciers ont évalué son état au moyen du test VITE, tel qu'il est décrit à l'annexe 1, page 204. Étant donné ses réactions, ils en ont conclu qu'elle avait subi un AVC. Ils ont aussi dit à son mari que son pouls était irrégulier, puis l'ont conduite toutes sirènes hurlantes à un hôpital spécialisé. Ils ont appelé la salle des urgences depuis l'ambulance de même que l'employé responsable d'avertir le service de radiologie et le neurologue qu'ils amenaient une patiente ayant subi un AVC.

À son arrivée, on a vérifié ses signes vitaux et on lui a dit qu'elle avait fait un AVC. À l'écoute des battements de son cœur, le médecin urgentiste a estimé qu'elle avait souffert de fibrillation auriculaire, ce qui signifiait que l'AVC était possiblement dû à la formation d'un caillot sanguin dans le cœur en conséquence de cette irrégularité du rythme cardiaque et qu'il s'était déplacé vers l'artère cérébrale moyenne gauche qui alimente le centre du langage et la bande motrice contrôlant le bras opposé.

La patiente a été conduite sans délai au tomodensitomètre (appareil qui prend en photo l'intérieur du cerveau), qui a confirmé qu'elle avait subi un AVC et non une hémorragie cérébrale et qu'un caillot s'était logé dans la partie gauche de son artère cérébrale moyenne et l'obstruait.

On lui a administré par intraveineuse un médicament appelé tPA destiné à dégrader les caillots. Simultanément, on a fait pénétrer un cathéter dans son artère jusqu'au caillot, qu'on a ensuite piégé et retiré. La patiente a réagi aussitôt en recommençant à parler et à répondre correctement aux questions posées. La rapidité de l'action et la disponibilité d'un médicament efficace ont permis d'éviter que les conséquences de l'AVC ne deviennent permanentes.

Le processus, depuis l'apparition des symptômes au retour du langage, en passant par l'appel au numéro de téléphone d'urgence et le transport en ambulance, avait demandé 90 minutes. Pendant ce temps, la partie du cerveau privée de sang « retenait son souffle », en quelque sorte, causant l'apparition de symptômes, mais les cellules étaient encore vivantes, quoique « en grève ». Le retour de sang à la région touchée lui a permis de retrouver immédiatement ses fonctions. Le délai de 90 minutes était bien en deçà de la limite des trois heures et demie que l'on recommande pour un AVC.

Trois jours plus tard, M\ :sup:`me` J. quittait l'hôpital. Elle avait retrouvé l'usage complet de la parole. Un cardiologue lui a prescrit un médicament visant à prévenir la formation de caillots et on lui a fixé un rendez-vous pour le traitement de sa fibrillation auriculaire.

Malheureusement, tous n'ont pas autant de chance qu'elle. Les livres de neurologie décrivent l'AVC comme un éclair apparaissant dans un ciel sans nuages. Il peut se produire au moment où l'on s'y attend le moins et souvent sans avertissement préalable. Quelle que soit la cause, l'interruption soudaine de l'approvisionnement en sang d'une partie relativement importante du cerveau entraîne généralement des symptômes immédiats que le patient ressent : perte soudaine de l'usage de la parole ou de la compréhension, déficits moteurs subits, par exemple faiblesse d'un bras ou boitement d'une jambe, mal de tête soudain et intense, perte soudaine de la vision au niveau d'un œil ou, partiellement, des deux. Si on n'intervient pas rapidement pour corriger la situation, ces déficits perdureront jusqu'à ce que la rééducation et un travail soutenu de la part du patient lui permettent de recouvrer une partie des fonctions perdues.

FIGURE 2.3 IRM D'UN PATIENT
AYANT SUBI UN AVC ET N'AYANT PAS ÉTÉ TRAITÉ AUSSITÔT

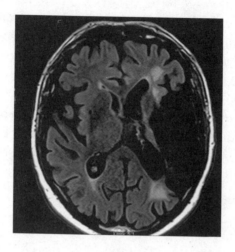

La figure 2.3 montre à quoi ressemble l'IRM d'un AVC majeur s'étant produit dans la moitié gauche du cerveau d'un patient (votre droite). Il s'agit de cette grosse tache noire dans le côté droit de l'image. À son endroit se trouvait auparavant une partie normale du cerveau, comme on le voit sur le côté gauche, mais après leur mort, les tissus atteints ont été éliminés par l'organisme. Ce patient a probablement perdu l'usage de la parole, ne comprend pas ce qu'on lui dit et est paralysé du côté droit de son corps.

L'incapacité soudaine à faire quelque chose qui vous était tout naturel une minute auparavant devrait vous indiquer que vous faites un AVC et vous pousser à composer aussitôt le numéro de téléphone d'urgence, de sorte qu'une ambulance puisse vous amener rapidement à la salle des urgences, où l'on vous fera passer un test d'imagerie encéphalique et où du personnel formé pourra traiter votre AVC.

Au Canada, les scientifiques et les cliniciens du Réseau canadien contre les accidents cérébrovasculaires ont établi les meilleures pratiques à adopter en cas d'AVC. Ils recommandent qu'il ne s'écoule pas plus d'une heure entre le moment où le patient arrive à l'hôpital et celui où on lui administre le tPA.

Si l'AVC n'est pas traité à temps et que le cerveau subit des lésions, il en résultera probablement un trouble cognitif. Les résultats de nombreuses études confirment que l'AVC est une cause majeure de troubles de la fonction cognitive, dont la démence. Dans une étude, on a observé que 57 % des patients qui avaient subi un AVC, alors qu'ils ne souffraient nullement de démence, ont vu leurs fonctions cognitives affectées à un certain degré l'année suivant l'accident. On a aussi observé que 32,4 % des autres patients souffraient d'une forme plus légère de TLC[24]. Par conséquent, l'AVC aura pour effet d'affecter à un degré plus ou moins grand la capacité à raisonner, à mémoriser et à porter des jugements chez 90 % des sujets malchanceux qui subissent cet accident et ne sont pas traités à temps.

LES AVC FURTIFS

Il y a une autre catégorie fort importante d'accidents cérébraux qui peuvent mener à la démence. Il se trouve que les obstructions des vaisseaux sanguins du cerveau ne provoquent pas toujours des symptômes manifestes. Il se peut que le vaisseau obstrué soit tellement petit que la personne n'en souffre pas sur le moment ou qu'elle éprouve un déficit temporaire qui se résorbe rapidement. On peut désormais voir ces « cicatrices » sur les tomodensitogrammes et les IRM de patients ayant souffert d'hypertension artérielle ou d'autres troubles vasculaires. Ils se divisent essentiellement en trois catégories :

1. **Les lacunes ou infarctus lacunaires**, dont le diamètre est généralement de 3 à 20 mm et qui apparaissent sur les images comme des trous dans les structures profondes du cerveau, particulièrement dans les noyaux gris centraux ;

2. **Les lésions microscopiques**, soit des accumulations de sang de moins de 5 mm où que ce soit dans le cerveau, y compris dans la matière grise et la substance blanche ;

3. **Les hyperintensités de la substance blanche (HSB)**, qui se produisent dans cette substance du cerveau. Elles sont causées par un obstacle à la circulation du sang dans les artères minuscules que sont les artérioles. C'est la forme la plus répandue de maladie des petits vaisseaux qui affecte le cerveau.

Auparavant, nous qualifiions d'AVC silencieux ces événements vasculaires que le patient n'avait pas ressentis, mais qui apparaissaient sur les images. Toutefois, aujourd'hui, nous les désignons sous le nom d'AVC furtifs, car nous avons compris qu'ils n'avaient rien de silencieux. Ce n'est pas parce que l'AVC est furtif que rien de fâcheux ne s'est produit. Une petite partie du cerveau, habituellement enfouie dans ses profondeurs, là où se trouvent les fibres blanches myélinisées à conductivité rapide, est privée de sang et lésée. Il importe de se rappeler la conclusion d'un article écrit par le Dr Shih : « L'occlusion d'un seul vaisseau pénétrant peut entraîner des déficits cognitifs[25]. »

Ainsi, la personne ayant subi un AVC furtif pourrait ne pas se rendre compte que sa capacité à raisonner clairement a décliné en raison de l'occlusion d'une seule artériole ou même d'un vaisseau pénétrant, mais il est certain que, si cela se produit à répétition, elle souffrira un jour de démence. Par conséquent, les AVC furtifs sont néfastes et causent des lésions au cerveau et, s'ils sont cumulatifs, ils peuvent mener à la démence.

LE CAS DE MONSIEUR T.

M. T. m'a consulté à la demande de son médecin de famille. L'homme de 42 ans se plaignait du fait qu'il avait l'impression depuis peu d'avoir les idées embrouillées. Dans la petite entreprise où il travaillait, c'était la personne sur laquelle tout le monde comptait en matière d'informatique. Il avait suivi plusieurs cours du soir dans ce domaine et appréciait particulièrement le rôle qu'il jouait au sein de la compagnie. Il m'a aussi avoué que ses collègues avaient cessé de le consulter, ce qui confirmait le sentiment que son esprit était confus.

M. T. m'a donné divers autres exemples illustrant le fait que son cerveau n'était pas aussi vif qu'auparavant. Il était marié et père de deux garçons âgés de 11 et 14 ans. Sa femme et lui travaillaient à l'extérieur de la maison. Or, récemment, il avait oublié de se présenter à une réunion de parents d'élèves et d'enseignants alors qu'il s'y était engagé. Il a souligné aussi qu'il avait de plus en plus souvent besoin de pense-bêtes. Sa femme lui avait aussi demandé de consulter à propos de ses troubles de la mémoire.

À sa connaissance, son seul problème d'ordre médical était son hypertension, contre laquelle son médecin lui avait prescrit un médicament. Cependant, il ne désirait pas prendre des cachets alors qu'il était aussi jeune. Il niait avoir jamais connu des épisodes transitoires de troubles du langage, de faiblesse ou d'engourdissement.

Quand je l'ai examiné, il était nettement en surpoids. Il pesait 109 kilos pour une taille de 1,75 mètre et son tour de taille était de 118 centimètres. Sa pression artérielle au repos était de 155/94 mm Hg. L'examen neurologique s'est révélé normal, mais il n'a obtenu que 24 points sur 30 au test MoCA, ce qui a confirmé qu'il avait effectivement des problèmes d'ordre cognitif.

Je lui ai prescrit une IRM et lui ai donné rendez-vous quatre semaines plus tard. La figure 2.4 présente l'IRM de M. T.

L'image obtenue par résonance magnétique montre que M. T. avait subi un certain nombre de petits AVC furtifs, qui avaient laissé des cicatrices évidentes dans la substance blanche de son cerveau. L'examen indiquait donc que la maladie des petits vaisseaux était largement répandue dans son cerveau, ce qui expliquait vraisemblablement son état de confusion mentale.

Quand je l'ai revu quatre semaines plus tard, j'ai regardé avec lui les résultats de ses examens en lui montrant l'IRM. Je lui ai dit que le fait qu'il refuse de prendre en main son hypertension constituait un risque significatif pour la santé de son cerveau et je crois avoir réussi à l'en convaincre.

Comme il m'a demandé s'il était possible de faire baisser sa pression artérielle autrement qu'en prenant des médicaments au quotidien, je lui ai répondu qu'il serait certainement utile qu'il perde du poids, devienne plus actif physiquement et diminue son apport en sel. Je lui ai demandé si la personne qui cuisinait à la maison salait beaucoup les aliments, pour apprendre avec étonnement que personne ne cuisinait chez lui. Sa femme et lui étant trop occupés pour faire les courses et cuisiner, m'a-t-il avoué, l'un des deux s'arrêtait en revenant du travail pour prendre des mets à emporter, souvent des plats minute. Ils confiaient donc entièrement à autrui le soin de décider de leur alimentation. Je lui ai parlé de la nécessité de consommer des fruits et des légumes, et de protéger la santé de sa famille en soulignant que les moments consacrés à la cuisine constituaient un investissement pour leur futur plutôt qu'une perte de temps.

FIGURE 2.4 IRM D'UN PATIENT AYANT SUBI DES AVC FURTIFS REPRÉSENTÉS PAR LES TACHES BLANCHES

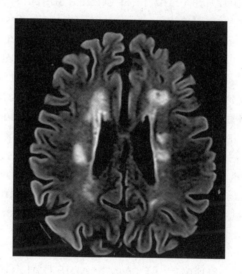

QUELLES SONT LES RÉPERCUSSIONS DES AVC FURTIFS SUR LA MÉMOIRE ?

Pour mieux comprendre le déficit causé par la maladie des petits vaisseaux cérébraux, je suggère de voir la substance blanche comme une région traversée par des lignes téléphoniques alimentées par les neurones de la matière grise. L'interruption des lignes dont les connexions permettent de relier rapidement le point A et le point B entraîne un changement dans la transmission de l'information pour la faire passer par le point C. La connexion existe toujours mais elle sera lente, demandera plus d'énergie et sera plus fastidieuse. En conséquence, les personnes ayant subi des lésions à la substance blanche traiteront l'information plus lentement et auront des troubles de la mémoire. Par conséquent, les AVC furtifs qui causent des lésions à la substance blanche myélinisée et à conduction rapide risquent non seulement d'entraîner des troubles de la mémoire, mais aussi d'influer sur le jugement et de provoquer des changements de personnalité. Les lésions à la substance blanche ont également pour conséquence à long terme de faire rétrécir l'hippocampe, soit le centre de la mémoire du cerveau[26].

Quelles sont les maladies associées à ces infarctus des petits vaisseaux de la substance blanche et quelles sont les personnes les plus susceptibles d'en souffrir? Le Dr Sarah Vermeer des Pays-Bas a étudié des patients souffrant de maladie des petits vaisseaux cérébraux en se demandant quelles autres maladies ou affections on pouvait associer aux lésions causées à la substance blanche du cerveau[27]. Elle a rapporté que le cerveau de 43 % des patients souffrant d'hypertension artérielle présentait aussi des signes de cette maladie de même que celui de 38 % des sujets ayant des facteurs de risque sur le plan cardiovasculaire tels que le diabète et l'hypercholestérolémie. Étonnamment, 46 % des patients qui souffraient de dépression présentaient également ces cicatrices cérébrales, confirmant ainsi que la tristesse prolongée agit négativement sur les structures du cerveau, ce que nous verrons plus loin.

LA MALADIE VASCULAIRE ET LA MALADIE D'ALZHEIMER INFLUENT L'UNE SUR L'AUTRE

Compte tenu de ce qui a été dit précédemment, on peut conclure que la maladie vasculaire est une cause majeure de démence. Qu'en est-il alors de la maladie d'Alzheimer? Ma collègue, le Dr Sandy Black, a étudié les liens existant entre ces deux maladies et en a tiré des conclusions importantes. Lorsque les petits vaisseaux qui alimentent le cerveau ne sont pas en bonne santé, les conséquences sont nombreuses.

En plus d'interrompre les circuits cérébraux qui sont normalement alimentés par les artérioles ou les vaisseaux sanguins pénétrants désormais obstrués, la diminution ou l'interruption de l'apport en sang a pour effet que les protéines toxiques caractéristiques de la maladie d'Alzheimer, soit les protéines tau et β-amyloïde, ne sont pas éliminées aussi rapidement et s'accumulent donc dans le cerveau, où elles exercent leurs effets indésirables[28].

Des études menées il y a quelque temps par l'équipe du Dr Vladimir Hachinski ont permis de démontrer que les occlusions des vaisseaux sanguins aggravaient la maladie d'Alzheimer[29]. Quant au Dr Costantino Iadecola, il a récemment passé en revue toute la documentation portant sur cette question[30]. L'opinion consensuelle veut que la maladie vasculocérébrale favorise le développement de la maladie d'Alzheimer et que les protéines responsables de cette dernière soient toxiques pour les cellules et les vaisseaux sanguins du cerveau. La conjugaison des deux entraîne des conséquences déplorables pour le cerveau.

Il est évident qu'une bonne partie de ce processus échappe à notre entendement. Si vous êtes porteur du gène de l'Alzheimer, il se pourrait que votre cerveau produise plus de protéines toxiques associées à cette maladie, mais ce que nous savons désormais avec certitude, c'est que la maladie vasculocérébrale est une cause importante de la démence.

Le côté positif de la chose c'est que, si l'on ne peut prévenir ni guérir la maladie d'Alzheimer héréditaire et ses conséquences, ce n'est pas le cas de la maladie vasculocérébrale. D'où l'affirmation que je fais dans ce livre voulant que nous pouvons décider de la manière dont nous vieillissons et que la démence n'accompagne pas inévitablement le vieillissement. Mais alors, comment éviter de souffrir de cette maladie vasculaire ? Quels sont les facteurs de risque qui mènent à des occlusions dans les vaisseaux du cerveau, gros ou petits, et qui entraînent un AVC, manifeste ou furtif ?

LES FACTEURS DE RISQUE DE L'AVC

Le diagramme à bandes de la figure 2.5 présente les facteurs associés à un risque élevé de souffrir d'une maladie vasculocérébrale entraînant un AVC et, souvent, la démence[31].

FIGURE 2.5 POURCENTAGE D'AVC ATTRIBUABLE À DES FACTEURS DE RISQUE SPÉCIFIQUES

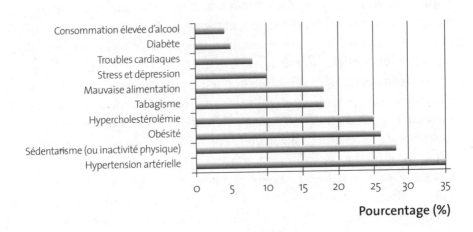

On remarque que certains facteurs élèvent sensiblement le risque de subir un AVC, le plus important étant l'hypertension artérielle, qui cause 35 % de tous les AVC. Les autres facteurs relevant de la médecine sont l'hypercholestérolémie, le diabète et divers troubles cardiaques. Par contre, il y en a plusieurs qui sont associés au mode de vie et sur lesquels, par conséquent, chacun peut intervenir. Le traitement de l'hypertension artérielle, l'exercice physique au quotidien, la perte pondérale et l'adoption d'un mode de vie plus sain auront pour conséquence de réduire substantiellement notre risque de subir un AVC et de souffrir de sa conséquence majeure, la démence.

On peut donc confirmer que les formes de démence les plus répandues sont causées par les atteintes aux microvaisseaux. Les praticiens peuvent raisonnablement affirmer à leurs patients que la prise en charge et le traitement des facteurs de risque de la maladie vasculaire sont vraisemblablement utiles non seulement pour prévenir la cardiopathie et l'AVC, mais également les formes de démence les plus répandues chez les personnes âgées.

PUIS-JE PRÉDIRE LE RISQUE QUE JE SOUFFRE DE DÉMENCE ?

Dans diverses études, on a pu prédire le risque de souffrir plus tard de démence. Le problème avec ces modèles de prédiction, c'est qu'ils ne s'appliquent pas aux individus, mais aux populations. Par conséquent, il n'est pas possible pour une personne de prédire son propre risque de souffrir de démence. Par contre, les associations qu'on a rapportées sont particulièrement instructives.

Des collègues de l'Aging Research Center de l'Institut Karolinska de la Suède ont mis au point un modèle de calcul du risque de démence qu'ils ont publié en 2006. Dans leur étude, ils ont évalué chez des personnes dans la cinquantaine les facteurs de risque associés à la démence et les ont examinées de nouveau 20 ans plus tard afin d'observer, le cas échéant, les signes de la maladie. Leur travail a donné lieu à une évaluation de la probabilité de souffrir de démence plus tard dans la vie en fonction du risque déterminé dans la cinquantaine. Le tableau 2.1 attribue les risques les plus élevés à l'âge avancé, à un faible niveau de scolarité et à la maladie vasculaire[32].

TABLEAU 2.1 RISQUE DE SOUFFRIR DE DÉMENCE 20 ANS PLUS TARD, SELON LE CALCUL DES FACTEURS DE RISQUE DANS LA CINQUANTAINE

SYSTÈME DE POINTS ET RISQUE DE DÉMENCE TARDIVE	
FACTEUR DE RISQUE	**POINTS**
Âge (années)	
< 47	0
47 à 53	3
> 53	4
Éducation **(nombre d'années de scolarisation)**	
≥ 10 ans	0
7 à 9 ans	2
< 6 ans	3

SYSTÈME DE POINTS ET RISQUE DE DÉMENCE TARDIVE	
FACTEUR DE RISQUE	POINTS
Pression artérielle systolique (mm Hg)	
≤ 140	0
> 140	2
Indice de masse corporelle (kg/m^2)	
≤ 30	0
> 30	2
Cholestérol total (mmol/l)	
≤ 6,5	0
> 6,5	2
Activité physique	
Actif	0
Inactif	1

Pour vous servir de l'information du tableau 2.1, trouvez d'abord les points vous concernant pour chacun de vos facteurs de risque. Additionnez-les en gardant à l'esprit que cette information n'est pas conçue pour déterminer le risque individuel de souffrir de démence, mais qu'elle reste tout de même instructive. Si, pour un groupe donné, le total des points est de moins de 5, le risque de souffrir de démence dans 20 ans est faible – soit le même que celui de la population au même âge. Un score de 6 ou 7 le multiplie pratiquement par 2, tandis que s'il est de 12 ou plus, le risque est 16 fois plus élevé que celui des groupes ne présentant pas ces facteurs de risque. Comme on peut le voir, l'apparition de la démence dans le futur est sensiblement liée à l'âge, à un faible degré de scolarisation (moins de 10 ans de scolarité), à une pression artérielle élevée, à l'obésité et à l'hypercholestérolémie.

Ces travaux ont été approfondis lors d'une étude d'importance dont les résultats ont été publiés en 2011 dans la prestigieuse revue *The Lancet* par Deborah Barnes et ses collègues[33]. On y énumérait les facteurs qui contribuaient le plus à la démence dans le monde, précisant la contribution de chacun d'eux à l'incidence de la maladie en Amérique du Nord et ailleurs. Plusieurs études confirment que les facteurs de risque en Europe sont similaires à ceux de l'Amérique du Nord.

Considérons simplement l'éducation. Le tableau 2.2 révèle qu'un faible niveau de scolarité pourrait être la cause de 19,1 % des cas de démence dans le monde, mais de seulement 7,3 % de ces cas en Amérique du Nord. Cela est probablement dû au fait que la fréquentation scolaire en bas âge est plus répandue en Amérique du Nord qu'ailleurs et que, durant le processus d'apprentissage, le cerveau doit établir et maintenir les connexions internes entre les diverses cellules. C'est ce qui permet de constituer la réserve cognitive. Plus tard dans l'existence, ces connexions précoces protègent le cerveau de ce qui pourrait limiter ou perturber le processus de la pensée.

TABLEAU 2.2 FACTEURS CONTRIBUANT À LA DÉMENCE
DANS LE MONDE ET EN AMÉRIQUE DU NORD

FACTEUR	% DE PROBABILITÉ ATTRIBUABLE AU FACTEUR DANS LE MONDE	% DE PROBABILITÉ ATTRIBUABLE AU FACTEUR EN AMÉRIQUE DU NORD
Faible niveau de scolarité	19,1	7,3
Tabagisme	13,9	10,8
Sédentarisme	12,7	21,0
Dépression	10,6	14,7
Hypertension	5,1	8,0
Diabète	2,4	3,3
Obésité	2,0	7,3

Comme nous abordons le sujet de l'éducation, soulignons que des chercheurs ont étudié l'influence de l'apprentissage d'une langue seconde sur le risque de souffrir de démence et ont découvert que, dans ce cas, il était différé[34]. Dans cette étude, comparativement aux gens qui ne parlaient qu'une langue, les individus qui en employaient couramment deux étaient sept fois mieux protégés contre les troubles cognitifs. Les vertus du bilinguisme sur le cerveau et l'esprit ont été revues et confirmées récemment dans un article d'importance majeure[35].

Sachez toutefois que pour continuer à profiter de cette protection, vous devez pratiquer régulièrement les deux langues. Le cerveau est le capitaliste ultime : si vous n'en avez pas besoin, si vous ne l'employez pas, il ne perdra pas ses énergies à préserver les connexions appropriées et elles seront perdues. Employez-le ou vous pouvez être assuré de le perdre. Dans cette étude, le facteur « éducation » nous indique que l'esprit ne préservera son acuité cognitive que si le cerveau est stimulé intellectuellement, de préférence tôt dans la vie mais aussi à tout âge, et que les stimuli qu'on lui présente sont variés.

Les autres facteurs figurant dans ce tableau font partie des règles que je vous propose d'adopter afin de préserver votre vitalité cognitive. On voit, par exemple, que dans les sociétés où certaines de ces règles sont appliquées, l'incidence de la démence est faible. Les Nord-Américains et les Européens pourraient avoir du mal à accepter cette réalité, mais le fait est que, dans les sociétés à faible statut économique, où la sédentarité est moins répandue que dans les pays riches, où les aliments sont peut-être moins caloriques et où, parce qu'ils ont plus de temps, les gens sont plus susceptibles d'entretenir des relations sociales, sans compter qu'ils ne le perdent pas à manipuler des gadgets électroniques, l'incidence de la démence est plus faible. Je pense que vous serez aussi surpris que moi d'apprendre que l'inactivité physique contribue pour 21 % à la démence en Amérique du Nord, mais seulement pour 12 % dans le reste du monde.

Le point important à souligner ici, c'est que nous disposons désormais des outils nécessaires pour nous protéger contre la démence. Vous pouvez garder l'esprit sain et alerte si vous en faites un but et si vous vous y prenez le plus tôt possible.

Si vous souhaitez approfondir la question, poursuivez votre lecture. Sinon, allez à la prochaine règle, à la page 83.

L'apport vasculaire au cerveau

Pour mieux comprendre les maladies qui affectent l'apport du sang au cerveau, voyons comment le sang alimente normalement toutes les cellules de cet organe, puis ce qui se passe quand les vaisseaux sanguins qui le transportent sont lésés.

Le cœur reçoit le sang qui s'est enrichi d'oxygène en passant par les poumons. Il l'achemine ensuite vers tous les organes du corps dans le but de leur fournir de l'énergie. L'aorte ascendante est la principale artère qui l'évacue du cœur. À proximité du cou, elle forme un arc, de sorte que le sang puisse descendre vers le bas du corps. Trois vaisseaux sanguins d'importance s'élèvent de cet arc pour alimenter le cerveau. De chaque côté de l'arrière du cou, une artère vertébrale traverse les vertèbres; les deux se fondent ensuite en une seule, soit l'artère basilaire, qui alimente le tronc cérébral et la partie postérieure du cerveau. Deux carotides alimentent le reste, chacune longeant le cou pour entrer dans le crâne. Elles se divisent toutes les deux pour former la carotide externe, qui alimente le visage, le cuir chevelu et la langue, et la carotide interne, qui va au cerveau où elle se ramifie en petites artères, dont certaines longent la surface et d'autres s'y enfoncent pour fournir de l'énergie à toutes les cellules nerveuses.

La description de l'architecture artérielle et veineuse du cerveau devrait vous convaincre de sa splendide dépendance vis-à-vis de l'apport sanguin. Le cerveau, cet organe qui ne se meut pas, n'agit pas comme une pompe et ne se contracte pas, ne pèse que 1,4 kg et consomme presque 20 % de toute l'énergie qui alimente le corps. Les vaisseaux sanguins qui lui apportent cette énergie sont conçus avec finesse de manière à maintenir cet apport. C'est ainsi qu'ils sont dotés de la capacité à s'autoréguler, c'est-à-dire à se dilater ou à se contracter, de sorte que l'apport reste relativement constant, quelle que soit votre activité. Que vous soyez assis, que vous marchiez ou couriez, que vous soyez en train de penser ou de converser, les besoins en énergie de votre cerveau sont comblés en toutes circonstances grâce à cette capacité d'adaptation des vaisseaux qui l'alimentent.

Que se passe-t-il dans le cerveau d'une personne qui subit un AVC ?

Le cerveau est un goinfre ! Dans des circonstances normales, 55 millilitres de sang alimentent chaque unité de 100 grammes de matière cérébrale à chaque minute (55 ml/100 g/min). Quand une artère qui alimente le cerveau se rétrécit, que ce soit à cause de l'athérosclérose ou parce qu'un caillot sanguin affecte l'apport en sang d'une région cérébrale, la circulation sanguine ralentit. Cela pourrait n'avoir aucune conséquence évidente pour le patient, le système étant conçu pour protéger le cerveau.

Quand le débit baisse sous la valeur normale de 55 ml/100 g/min, le cerveau continue de fonctionner normalement, et ce, jusqu'à 20 ml/100 g/min. Il y parvient en extrayant plus d'oxygène et de glucose du filet de sang restant. La personne peut marcher, parler, penser et mémoriser normalement malgré une baisse de 63 % de l'apport sanguin dans la partie affectée du cerveau. Cependant, en deçà de ce niveau, soit à moins de 20 ml/100 g/min, les cellules du cerveau ne peuvent plus fonctionner normalement, mais resteront vivantes trois ou quatre heures.

Dans le cas de Mme J., dont il a été question précédemment, c'est la partie gauche de son cerveau qui « retenait son souffle », d'où une difficulté à parler et une faiblesse du côté droit du corps. Si, durant cette période critique, l'apport en sang s'élève de nouveau à plus de 20 ml/100 g/min, par exemple, parce que le caillot s'est disloqué et déplacé, les symptômes disparaîtront et la fonction touchée redeviendra normale. L'apport de sang au cerveau de Mme J. s'est normalisé parce qu'elle a reçu les soins médicaux les plus appropriés à son état après avoir été amenée à une salle des urgences équipée pour traiter les AVC.

Il n'y a de lésions permanentes au cerveau que si l'apport en sang reste sous ce seuil critique plus de trois ou quatre heures. Dans ce cas, la durée de survie des cellules sera déterminée par le débit sanguin : sous 12 ml/100 mg/min, elles meurent aussitôt et entre 20 et 12, leur survie est plus ou moins longue selon le débit.

L'accident ischémique transitoire

Qu'en est-il de la situation où des symptômes apparaissent soudainement, par exemple une faiblesse dans le bras ou une perte de la parole, pour disparaître, disons, 20 minutes plus tard et que la personne se sent alors complètement normale? C'est ce qu'on appelle l'accident ischémique transitoire (AIT): le problème résulte habituellement du fait qu'un caillot sanguin s'est logé dans un vaisseau alimentant cette partie-là du cerveau qui, en conséquence, a cessé de fonctionner normalement, entraînant l'apparition des symptômes. Ceux-ci ont probablement disparu parce que le caillot s'est disloqué en réaction aux mécanismes de défense naturels du corps et que l'apport en sang a été restauré au bout de quelques minutes.

Cette personne devrait être félicitée pour avoir évité un AVC qui aurait endommagé son cerveau, mais elle doit savoir qu'elle est à risque d'en subir un majeur et devrait consulter aussitôt un médecin dans le but de déterminer la cause de l'AIT et prendre les mesures nécessaires pour éviter le pire. L'AVC grave survient souvent au cours des 24 heures qui suivent un AIT, d'où l'extrême urgence d'y voir. En outre, bien que l'AIT n'entraîne qu'une privation temporaire de sang au cerveau, ce dernier pourrait ne pas pardonner l'offense. En effet, les sujets qui en ont subi un courent souvent le risque de souffrir d'un trouble cognitif, et ce, même s'ils ne font jamais d'AVC grave[36]. Il vaut mieux éviter l'AIT, mais s'il se produit, on doit le considérer comme une urgence et le traiter sans délai.

Le cerveau a la capacité de se réparer lui-même

Si vous avez consulté votre médecin en raison de troubles de la mémoire et que les examens révèlent que vous avez subi des AVC furtifs, devriez-vous abandonner tout espoir de retrouver la fonction perdue? Eh bien non, pas du tout. Les lésions au cerveau, telles celles causées par un AVC, qu'il soit manifeste ou furtif, ont pour effet de mobiliser tous les mécanismes de réparation de l'organisme dans le but de contourner le déficit. Cela devrait nous donner toutes les raisons d'espérer que les déficits résultant d'un AVC puissent être atténués, voire entièrement surmontés.

Quand il y a une lésion dans une partie du cerveau, ce dernier confie les tâches dont elle était responsable – par exemple la parole ou les mouvements du bras – à d'autres. Ces régions secondaires ne sont pas aussi compétentes et aussi rapides que la principale, mais leur efficacité et la réussite de leur exécution dépendent grandement des messages que la personne atteinte envoie au cerveau par l'entremise de ses gestes et de ses actions.

Par exemple, si un AVC provoque la paralysie du bras gauche, la réaction naturelle sera de l'ignorer et de se servir du bras droit. Mais cela ne fait que ralentir le rétablissement, car le cerveau ne reçoit pas le message que le sujet souhaite améliorer la fonction de son bras gauche. À défaut de lui indiquer que vous comptez vous servir de votre bras faible, il ne perdra pas d'énergie à faire une chose qui ne vous intéresse pas ou ne vous est pas nécessaire.

La compréhension de ce phénomène a conduit à la mise au point d'une forme de thérapie de rétablissement post-AVC appelée « thérapie par contrainte induite », ou TCI. En gros, le bras valide, dans ce cas, le droit, est mis en écharpe afin d'empêcher la personne de s'en servir et de l'obliger plutôt à faire usage du bras paralysé. C'est la conduite à adopter quand on veut envoyer au cerveau le message suivant : « Oui, je veux améliorer la fonction de mon bras gauche affaibli. Mets-toi au boulot. Fais ce que tu as à faire. Je te fais part de ce que je veux. »

Chez le fœtus, les cellules souches sont entièrement occupées à former le cerveau dans toutes ses complexités structurelles. Il est nécessaire, pour la fonction cognitive ultérieure, que l'action des cellules souches du cerveau du fœtus soit normale. Cependant, ces cellules ne disparaissent pas à la naissance. Au contraire, elles existent toujours dans le cerveau de l'adulte, qui les stocke dans des sites spéciaux au cas où il en aurait besoin. Quand une lésion se produit, elles sont mobilisées et acheminées vers le site de la lésion, où elles se métamorphosent en cellules cérébrales normales et apprennent à faire le travail des cellules lésées et mortes.

Un des sites de stockage des cellules souches est entièrement au service du centre de la mémoire, c'est-à-dire l'hippocampe. Dans bien des cas, les changements dans le mode de vie que je recommande afin d'améliorer la mémoire auront pour effet de mobiliser ces cellules souches, de sorte que l'hippocampe puisse se renouveler constamment et que vous puissiez enregistrer facilement de nouveaux souvenirs et vous rappeler les plus anciens.

Comme nous le verrons plus loin, l'hippocampe des personnes physiquement actives est plus gros sur l'imagerie cérébrale que celui des personnes sédentaires, et ses fonctions mémorielles sont nettement mieux préservées, l'activité physique étant un mécanisme très important dans la mobilisation des cellules souches en vue de servir les fonctions de la mémoire.

Cela est vrai même après que des lésions causées par la maladie vasculaire se sont produites et que la fonction cognitive a été touchée. Ainsi, M. T., qui était très motivé, m'a demandé jusqu'à quel point il pourrait se rétablir. Il savait que sa carrière et le bien-être de sa famille dépendaient de son rétablissement. Il a modifié complètement son mode de vie et s'est tourné vers une meilleure alimentation, pour lui comme pour sa famille, ce qui lui a permis de perdre du poids et de faire baisser sa pression artérielle. Il s'est inscrit à un programme où l'on enseigne des stratégies pratiques d'amélioration de la mémoire. Il a aussi appris à maîtriser son stress par l'exercice.

Au bout de six mois, il n'aurait pas été question pour lui d'interrompre son programme d'exercice, puisque son humeur, ses habiletés cognitives, son efficacité et sa productivité au travail s'étaient améliorées, sans compter que, en s'éloignant de son téléviseur, il avait découvert l'importance de la socialisation. Il était la confirmation vivante des résultats de l'étude menée par mon collègue, le Dr Brad McIntosh, qui a montré que l'exercice régulier améliore la communication entre les centres du cerveau jouant un rôle important dans la mémoire et la capacité à raisonner[37].

La génétique de la maladie d'Alzheimer

On croit de plus en plus que, chez la personne souffrant de démence, la maladie d'Alzheimer est la cause prédominante :

- si les troubles cognitifs et de la pensée apparaissent dans la quarantaine ou au début de la cinquantaine ;
- si plus de 10 à 15 % des membres de la famille souffrent de démence ;

- si on a éliminé tous les autres facteurs de risque qui pourraient exercer un effet négatif sur les vaisseaux sanguins du cerveau.

Ainsi, une personne de 50 ans montrant des troubles cognitifs et de la mémoire pourrait souffrir d'une variante génétique de la maladie d'Alzheimer si d'autres membres de sa famille sont atteints de démence. La raison en est que, dans ce cas, il suffit d'une copie du gène pour déclencher la maladie.

Quand un individu relativement jeune, âgé par exemple de 45 ans, commence à montrer des troubles de la mémoire et du comportement qui évoluent vers la démence et que son imagerie cérébrale indique une perte de la masse encéphalique et une atrophie, l'analyse génétique pourrait révéler une prédisposition génétique pour la maladie d'Alzheimer. Ce qui signifie que cette personne a pu hériter d'un (ou de plusieurs) gène portant le code d'élaboration des protéines toxiques β-amyloïde et tau dont il a été question précédemment. Bien que ces gens représentent moins de 2 % des cas de démence, il importe de les reconnaître et, s'ils le veulent bien, qu'on fasse passer des analyses de sang à leurs proches parents afin de vérifier s'ils ont aussi hérité de la maladie. Mais on s'entend aujourd'hui pour dire que, dans la plupart des cas de démence tardive, les maladies vasculaires, le mode de vie et le milieu jouent un rôle prédominant dans l'apparition de la maladie d'Alzheimer.

Malheureusement, à ce jour, nous ne disposons pas de traitements efficaces contre la maladie d'Alzheimer. Les tentatives de mettre au point des traitements pharmacologiques visant à éliminer les dépôts de la protéine β-amyloïde ont échoué, tandis que le vaccin destiné à éliminer cette protéine du cerveau n'a eu aucun effet significatif sur la démence.

Dans la population en général, plus de 95 % des patients qui développent la démence le font après 65 ans. Or, la prémisse centrale de ce livre, c'est que, dans ce cas, la santé vasculaire, le mode de vie et le milieu jouent un rôle déterminant dans l'expression clinique de la maladie. La raison en est qu'un mode de vie et un milieu néfastes affectent l'apport de sang au cerveau et peuvent causer la maladie vasculaire, laquelle menace l'intégrité du cerveau. Donc, même si le dépistage génétique des patients âgés atteints de démence confirme la présence des mutations associées à la maladie d'Alzheimer, tout n'est pas perdu et le respect des règles présentées dans ce livre, comme on l'a observé dans la Nun Study et d'autres études sur le vieillissement, améliorera les chances de tenir la démence en échec.

Il importe de garder à l'esprit que les gènes ne règlent pas tout. Ils peuvent être activés ou désactivés par des facteurs qui résident à l'extérieur d'eux et qui sont substantiellement influencés par le milieu physique, émotionnel et social de la personne, de même que par son comportement. Les scientifiques savent depuis longtemps que les gènes ne sont pas le seul facteur qui détermine si l'on souffrira ou non d'une maladie. Ce qui compte, c'est ce que l'on fait des gènes dont on a hérité. Les gènes ne sont que des indicateurs de notre santé physique et mentale ; leur fonction est influencée par d'autres facteurs maîtrisables. En conséquence, le dépistage génétique n'est pas recommandé aux patients que la démence touche tard dans l'existence, mais il l'est pour ceux qui souffrent prématurément de la maladie d'Alzheimer. Ce dépistage permet de déterminer la probabilité que la progéniture d'une personne souffrant prématurément de la maladie soit touchée également, c'est tout. Il y a présentement peu de choses que l'on puisse faire pour les gens qui ont reçu un diagnostic de maladie d'Alzheimer pure.

Dans un article récent publié dans le *Canadian Medical Association Journal*, le Dr Andrea Tricco et ses collègues ont passé en revue toutes les études d'envergure portant sur l'évaluation du bienfait potentiel des médicaments nootropiques employés pour le traitement de la démence. Ils en ont conclu que les plus répandus n'amélioraient pas les fonctions chez les patients souffrant d'une forme plus légère de trouble cognitif[38]. En conséquence, il y a présentement beaucoup moins d'enthousiasme sur le terrain pour expérimenter de nouveaux médicaments contre la maladie d'Alzheimer.

Concluons en réaffirmant que, en dépit de certains facteurs sur lesquels nous ne pouvons exercer de contrôle, chacun de nous peut diminuer substantiellement les risques de démence et préserver un cerveau sain pour jouir pleinement de toutes les années de sa vie.

RÈGLE N⁰ 3

SURVEILLEZ ET RÉGULEZ
VOTRE PRESSION ARTÉRIELLE

Commençons le chapitre sur cette règle en nous rendant au laboratoire de pathologie afin d'examiner des vaisseaux sanguins. Rappelons que les trois principaux types de vaisseaux sanguins sont les artères, les veines et les capillaires.

Voici un gros vaisseau sanguin normal : il s'agit d'une artère de 3 centimètres de diamètre qui est dotée d'une paroi interne de tissu mou et scintillant en contact direct avec le sang qui y circule. Sous cette couche, il y a du tissu élastique, qui permet au vaisseau de se dilater et de se contracter ; si on y enfonçait le doigt, on aurait le sentiment d'appuyer sur une bande élastique. Juste dessous, se trouve une couche de texture plus ferme, qui rappelle la consistance des fibres au toucher ; elle est entourée d'une autre couche de tissu élastique.

Voilà en quoi consisterait la disposition par couches d'une grosse artère qui, par exemple, achemine le sang depuis le cœur vers les organes principaux, tels que les poumons, les reins et le cerveau. En approchant de l'organe qu'elle doit alimenter, elle se divise en plus petites artères aux diverses couches disposées de la même manière. Cependant, ce genre d'artère ne pénètre pas dans l'organe qu'elle alimente. Elle laisse ce travail à de petites artères de 2 millimètres ou moins qu'on appelle « artérioles ». Ce sont elles qui alimentent directement tous nos organes, dont, bien sûr, le cerveau. En fait, les grosses artères sont elles-mêmes alimentées par des artérioles puisque ce sont des tissus vivants qui travaillent dur et ont aussi besoin de nourriture.

Maintenant, examinons les artères, petites et grosses, appartenant à un patient qui est mort après avoir fait un AVC majeur. Voici sa carotide, l'artère qu'on peut sentir quand on se palpe délicatement le cou juste devant l'angle que forme la mâchoire. L'aspect de cette carotide est très différent de celui de l'artère que nous venons d'examiner. Ainsi, la couche de tissu censée être molle et scintillante n'est ni l'une ni l'autre. Elle s'est épaissie vers l'intérieur du vaisseau. Elle est rugueuse au toucher et plutôt que d'être d'une belle couleur rose, elle a bruni. Ces changements l'affectent sur toute sa longueur. De fait, l'AVC de ce patient a été causé par une obstruction de la carotide ; des dépôts graisseux y ont entravé la circulation du sang. Ce phénomène porte le nom d'« athérosclérose ». Quand cette affection est étendue, elle a pour effet de rétrécir les vaisseaux. L'apport en sang peut alors être tellement faible que le cerveau n'est pas suffisamment alimenté, ce qui cause un AVC.

Ce patient souffrait de maladie vasculaire, laquelle, comme nous le savons désormais, est une cause majeure de démence. Et l'hypertension artérielle constitue le principal facteur de risque de la maladie vasculaire. Dans ce chapitre, nous apprendrons en quoi consiste l'hypertension, quelles sont ses conséquences et comment mesurer correctement sa pression artérielle. Réjouissons-nous d'abord du fait qu'on puisse la mesurer sans causer de douleur et à un coût minimal, voire nul, et qu'on puisse la réguler facilement, comme nous le verrons plus loin.

La pression artérielle comporte deux chiffres. Le chiffre du haut, qu'on appelle « pression systolique », indique la pression mesurée dans les artères quand le cœur vient tout juste de se contracter et de propulser le sang dans les vaisseaux sanguins, vers le haut comme vers le bas, exerçant ainsi une pression sur leurs parois. Le chiffre du bas, qu'on appelle « pression diastolique », indique la pression dans les artères quand elles sont au repos. Par conséquent, ces deux chiffres renseignent beaucoup sur la fonction cardiaque, sur le stress auquel sont soumis les vaisseaux sanguins et sur leur capacité à se détendre.

Dans ce chapitre, nous verrons tout cela en détail. Nous déterminerons aussi les valeurs normales de la pression artérielle et les mesures à prendre pour l'y ramener quand elle est trop élevée. Je ne mâcherai pas mes mots : votre meilleure protection contre la démence consiste à maintenir une pression artérielle normale.

LES CONSÉQUENCES DE L'HYPERTENSION

Quand la pression artérielle est trop élevée, on craint par-dessus tout qu'un vaisseau sanguin du cerveau n'éclate, entraînant une hémorragie cérébrale. Si on arrive à éviter cette conséquence, mais que la pression reste élevée, alors la paroi des vaisseaux sanguins s'épaissit afin de se protéger contre la rupture. Survient alors ce que nous appelons le « durcissement des artères » (ou artériosclérose).

Ce processus regrettable s'accélère quand on est trop souvent inactif. Les artères durcissent aussi en cas de diabète, d'hypercholestérolémie et de concentration élevée de gras dans le sang, de même que chez les personnes qui fument ou qui boivent en excès. Ce durcissement a pour effet de réduire l'espace disponible pour la circulation du sang ; le cœur doit donc travailler plus dur pour le faire circuler et la pression s'élève dans les vaisseaux sanguins. Comme on peut l'imaginer, si le processus d'épaississement des parois se poursuit, le cœur travaille de plus en plus dur ; il pourrait alors s'épuiser et subir des lésions. Quant aux vaisseaux sanguins, ils pourraient s'obstruer ; quand l'organe affecté est le cerveau, il peut en résulter un AVC, comme nous l'avons vu dans l'exemple précédent.

La pression trop élevée n'indique pas seulement que les vaisseaux sanguins ne sont pas en bonne santé ; c'est aussi un signe avant-coureur d'une multitude de problèmes à venir. On estime que les deux tiers des AVC sont attribuables à l'hypertension. Cette situation a pour effet d'entraîner le système vasculaire dans un cercle vicieux : l'hypertension provoque des lésions à de nombreux organes, dont le cerveau, le cœur, les reins et la rétine des yeux ; en retour, comme les organes lésés nécessitent une pression plus élevée pour fonctionner adéquatement, cette dernière s'élèvera davantage encore, ce qui provoquera d'autres lésions dans ces organes. En conséquence, les personnes hypertendues courent quatre fois plus de risques de mourir d'un AVC que celles qui présentent une pression normale.

Voyons maintenant quels sont les effets de l'hypertension sur les fonctions cognitives, la mémoire et le jugement. La relation entre l'hypertension et la démence est tout ce qu'il y a de plus simple. Si l'on mesurait la pression d'un groupe de personnes, disons dans la cinquantaine, et qu'on vérifiait leur capacité à raisonner et leur mémoire quelque 25 ans plus tard, le résultat s'exprimerait ainsi[39] :

> **Pour chaque mm Hg se situant au-dessus de 110 mm Hg de pression systolique, le risque de souffrir de démence plus tard dans la vie augmente de 1 %.**
>
> Par exemple, si la pression artérielle systolique d'une personne se maintient longtemps à 140 mm Hg, le risque qu'elle court de souffrir de démence augmente de 30 %.

L'hypertension a été associée à l'incidence d'AVC graves, d'infarctus lacunaires, de micro-infarctus et d'hyperintensités diffuses de la substance blanche (ou HSB, comme on l'a vu à la règle n° 2). Il est donc extrêmement important de maintenir la pression artérielle dans des valeurs normales. Et n'attendez pas de vieillir pour commencer à la réguler : le fait que la pression mesurée dans la cinquantaine détermine l'état de santé du cerveau plus tard dans la vie a été récemment confirmé par une étude de grande envergure menée par le Dr Launer[40]. Il est donc crucial pour la santé de votre cerveau que vous veilliez à maintenir votre pression artérielle dans des valeurs normales.

LES CAUSES DE L'HYPERTENSION

La pression artérielle augmente généralement avec l'âge. En vieillissant, les vaisseaux sanguins durcissent légèrement, si bien que, pour le même volume de sang, la pression s'exerçant contre les parois des vaisseaux sanguins s'élève en conséquence. Ainsi, toute affection qui contribue à épaissir les parois des vaisseaux et à les durcir, à augmenter le volume de leur contenu ou encore à comprimer les vaisseaux depuis l'extérieur fera augmenter la pression, entraînant les conséquences décrites précédemment.

En plus du vieillissement et d'une prédisposition génétique à l'hypertension, les principaux facteurs potentiellement modifiables qui peuvent la favoriser sont les suivants.

L'excès de sel dans l'alimentation

L'excès de sel est une cause majeure de l'élévation de la pression artérielle. Nous savons ce que cela entraîne : le sel resserre les vaisseaux sanguins et accroît la résistance à l'apport de sang, ce qui entraînera de l'hypertension. Nous ne connaissons pas encore tous les mécanismes par lesquels le sel agit de la sorte, mais nous savons que le cerveau en enregistre les excès et, en conséquence, déclenche un resserrement des vaisseaux sanguins. De plus, l'excès de sel provoque la soif, ce qui nous pousse à boire plus, de l'eau peut-être, mais peut-être aussi des boissons caloriques qui entraînent un surpoids et, en conséquence, une hausse du volume de sang et de la pression.

Le sucre

Résultant d'une consommation excessive de boissons, de céréales, de gâteaux, de biscuits ou de muffins, le sucre contribue à élever la pression artérielle, car il réagit avec les parois des vaisseaux sanguins et entraîne leur durcissement. L'Organisation mondiale de la santé recommande que l'apport d'un adulte ne dépasse pas 50 grammes de sucre par jour et, de préférence, 25 grammes[41]. Si on songe qu'une bouteille de boisson gazeuse de 355 ml peut en renfermer 35 grammes, on se rend compte que les grosses bouteilles n'ont pas leur place dans ce tableau ! À noter que l'on ne tient pas compte du sucre présent dans les fruits frais pour calculer ces valeurs.

L'obésité

Problème croissant dans les sociétés occidentales, l'obésité est un facteur de risque important pouvant mener à la démence. Pensez que le gras en excès ne fait pas que comprimer les principaux vaisseaux sanguins du corps et élever la pression, mais que c'est aussi une usine de substances chimiques nocives. C'est la raison pour laquelle la règle n° 4 porte plus particulièrement sur ce problème.

Le tabagisme

Voyez la chose ainsi : chaque fois que vous inhalez la fumée, votre sang est un peu moins rouge et un peu plus bleu, privant ainsi votre cerveau de l'énergie dont il a besoin pour bien fonctionner. Chaque fois que vous inhalez la fumée, vous introduisez des substances toxiques dans votre corps et vous contribuez à enflammer et à irriter les parois des vaisseaux sanguins qui alimentent votre cerveau. En outre, les fumeurs sont plus susceptibles que les autres de souffrir de diabète. Tout cela contribue à perturber la fonction cérébrale. D'ailleurs, le tabagisme a été reconnu à de multiples reprises comme un facteur de risque de démence[42]. En effet, le risque d'en souffrir est plus élevé de 45 % chez les fumeurs, comparativement aux non-fumeurs. Loin de moi l'idée de minimiser la difficulté à écraser – c'est l'une des habitudes les plus addictives qui soient –, mais si plusieurs réussissent à le faire, vous devriez y parvenir, vous aussi.

Un jour que je sortais de l'Institut neurologique de Montréal, je suis tombé sur un des garçons de salle avec qui j'échangeais souvent et qui fumait une cigarette. Je me suis mis à bavarder avec lui et il m'a avoué qu'il avait souvent essayé d'arrêter, mais n'avait jamais réussi, de toute évidence. Une fois sa cigarette éteinte, je l'ai invité à m'accompagner à mon laboratoire et je lui ai montré des photos de poumons de fumeurs et de non-fumeurs prises durant des autopsies. Il n'a plus jamais fumé. La présence de photos horribles sur les paquets de cigarettes, la hausse des taxes sur les produits du tabac et le fait que les fumeurs subissent une pression sociale, tout cela s'est révélé efficace. Il faudrait prendre de telles mesures pour d'autres facteurs de risque reconnus.

Dernièrement, en partant de l'hôpital, j'ai aperçu un collègue en train de fumer. Je lui ai fait un signe de la main et il m'a regardé avec tristesse en me disant qu'il était conscient de tenir entre les doigts un énième clou de son propre cercueil.

Ces anecdotes nous indiquent une chose importante concernant le tabagisme : il faut avoir une bonne raison pour arrêter de fumer. Cette raison est ce qui procurera l'énergie pour écraser. La chose vous sera plus facile si vous êtes entouré de gens qui vous soutiennent et qui, quand vous risquez de faiblir et de recommencer, vous rappellent que vous n'avez pas du tout besoin d'une cigarette.

La consommation excessive et régulière d'alcool

La documentation médicale entend par consommation excessive ce qui dépasse deux verres de vin par jour ou leur équivalent, soit environ 300 millilitres (1 ¼ tasse) de vin. La surconsommation d'alcool peut mener à la démence. Bien que certains croient qu'une faible consommation d'alcool puisse protéger le cerveau contre la démence, aucune étude rigoureuse n'est venue étayer cette position. Ce que nous savons, c'est qu'un apport d'alcool plus élevé contribue à élever la pression artérielle. Les gens qui prennent plus de deux verres par jour courent deux fois plus de risques de souffrir d'hypertension que ceux qui s'en abstiennent. De plus, tant les grands buveurs que ceux qui s'enivrent à l'occasion sont à risque de formation de caillots sanguins et d'hémorragie cérébrale. Autre impact majeur : la consommation élevée d'alcool provoque une carence en thiamine (vitamine B_1), ce qui, nous l'avons vu à la règle n° 1, peut entraîner des déficits graves de la mémoire à court terme, comme on l'observe dans le syndrome de Wernicke-Korsakoff. Au total, 80 % des individus qui consomment des quantités excessives d'alcool de manière régulière souffriront de lésions au cerveau[43].

Le manque d'activité physique

Nos activités professionnelles de même que les appareils électroniques que nous utilisons contribuent bien souvent à notre sédentarisme. Nous passons beaucoup de temps assis ! Comme nous le verrons à la règle n° 5, le sédentarisme est associé à une hausse de la pression artérielle et entraîne une baisse de la mémoire et des fonctions cognitives.

Un sommeil insuffisant ou de mauvaise qualité

Ce n'est pas un luxe que de dormir assez pour se sentir détendu. C'est plutôt l'occasion pour le cerveau de se régénérer et pour les vaisseaux sanguins de se détendre. C'est tellement important que j'y ai consacré une autre règle, la règle n° 6.

La solitude, l'anxiété et la dépression

Nous savons depuis un moment que la solitude, l'anxiété et la dépression exercent à long terme un effet négatif sur les vaisseaux sanguins et entraînent une hausse de la pression artérielle[44], ce qui mène à des problèmes mentaux. Je consacre la règle n° 7 à cet important facteur de démence et aux moyens de l'éviter.

La pollution atmosphérique

Nous disposons de plus en plus de preuves voulant que l'exposition à la pollution atmosphérique contribue à affaiblir les fonctions cognitives, en partie par son effet sur l'athérosclérose. Les résultats d'études menées à Londres (R.-U.) et à Boston (É.-U.) confirment que le fait d'habiter à proximité d'une route importante a pour conséquence une baisse des résultats aux tests cognitifs, dont l'apprentissage verbal, la mémoire et les fonctions exécutives[45, 46].

Le bruit

Quand il est désagréable à l'oreille, le bruit contribue à élever la pression artérielle et porte atteinte aux fonctions de la mémoire. L'exposition au bruit au travail, particulièrement quand il est de plus de 85 décibels, augmente sensiblement le risque de faire de l'hypertension[47]. En revanche, le fait d'écouter de la musique que l'on aime améliore la capacité à raisonner. Le bruit déplaisant est toujours interprété par notre cerveau comme une menace à laquelle notre corps réagit en élevant la pression artérielle et la tension afin de nous préparer à y faire face. Quand cette situation est chronique, elle provoque le vieillissement des vaisseaux sanguins et contribue à accroître le risque de souffrir de troubles de la mémoire et des autres fonctions cognitives.

Dans ce livre, nous nous pencherons sur certains de ces facteurs susceptibles de favoriser l'hypertension et sur les meilleures manières d'y faire face afin de les empêcher de nuire. À cette étape de votre lecture, vous aurez compris que certains d'entre eux, dont le tabagisme, le sédentarisme et l'obésité, sont également des facteurs de risque de maladie vasculaire plus étendue, c'est-à-dire qui touche des organes autres que le cerveau. Ces facteurs peuvent vous nuire non seulement en élevant votre pression artérielle, mais aussi en provoquant des changements négatifs dans le métabolisme des cellules du cerveau, dans le mouvement des cellules souches et dans les fonctions de réparation. Indépendamment de leurs mécanismes d'action, ce livre éveillera votre attention, par ses règles, sur les moyens à prendre pour protéger votre cerveau des influences néfastes.

L'HYPERTENSION ARTÉRIELLE DANS NOTRE SOCIÉTÉ

Les résultats d'une étude de grande envergure menée en 2013 dans 17 pays indiquent que, chez plus de 40 % de la population, la pression artérielle se situe au-dessus de 140/90 mm Hg. La conscience du problème de l'hypertension, de son traitement et de sa prise en charge diminue parallèlement au revenu et au degré de scolarisation[48]. Le tableau 3.1 présente les résultats d'une étude menée en 2010 par le National Center for Health Statistics dans des résidences assistées américaines. Cette étude a montré que 57 % des résidents faisaient de l'hypertension et qu'un pourcentage élevé d'entre eux avait souffert des conséquences de la maladie vasculaire[49]. C'est un chiffre ahurissant quand on pense que l'hypertension peut se soigner. Un rapport français datant de 2012 indiquait que 31 % de la population générale souffrait d'hypertension artérielle[50], tandis qu'un rapport allemand datant de 2015 démontrait qu'entre l'âge de 45 et de 83 ans, la pression artérielle dépassait ces limites chez 74,3 % des hommes et 70,2 % des femmes[51].

Quand il sera question un peu plus loin de ce qu'est une pression artérielle élevée, vous verrez que ces chiffres sous-estiment probablement l'étendue du problème.

TABLEAU 3.1 AFFECTIONS CHEZ LES AMÉRICAINS VIVANT EN RÉSIDENCE ASSISTÉE (2010)

AFFECTION	% D'AMÉRICAINS TOUCHÉS
Hypertension artérielle (HTA) seule	19
Démence seule	13
Cardiopathie et maladie vasculaire	7
HTA et démence	15
HTA et cardiopathie et maladie vasculaire	5
HTA et démence et cardiopathie et maladie vasculaire	9
Personnes touchées par la HTA	57
Personnes touchées par la démence	42

Au Canada, la situation n'est guère meilleure. En dépit d'une amélioration dans la prise en charge de l'hypertension au cours des dernières années – grâce aux efforts concertés d'Hypertension Canada et du Programme éducatif canadien sur l'hypertension –, une étude menée par Statistique Canada en 2010 indique que un Canadien sur cinq présente une pression systolique au-dessus de

140 mm Hg, tandis que, chez 20 % de la population, elle se situe entre 120 et 139 mm Hg[52]. Une étude plus récente menée dans deux villes ontariennes de taille moyenne a montré que 41,4 % des personnes de plus de 65 ans souffraient d'hypertension non traitée et donc non prise en charge[53].

Comme si cela ne suffisait pas, nos jeunes sont aussi menacés. Un tableau publié par Statistique Canada indique que, entre 1994 et 2005, le nombre de personnes âgées de 12 à 34 ans dont la pression artérielle était élevée avait triplé, tandis qu'il avait doublé chez celles qui étaient âgées de 35 à 39 ans. Nous explorerons plus loin les causes potentielles de cette menace importante à notre système de santé publique, mais mentionnons d'ores et déjà qu'une des raisons probables tient dans le fait que les jeunes sont plus sédentaires qu'ils ne l'étaient auparavant. On estime que, à l'échelle mondiale, ils restent plus de huit heures par jour « sans bouger », ce qui contribue probablement à accroître leur taux d'obésité par rapport aux générations précédentes[54]. En conséquence, on a prouvé récemment qu'ils n'étaient pas aussi en forme et rapides que ne l'étaient leurs aînés au même âge[55]. Pour toutes ces raisons, l'Organisation mondiale de la santé considère que la pression artérielle élevée est le principal facteur de risque de mortalité et prédit une épidémie d'hypertension.

NE FAITES PAS PARTIE DE LA MAJORITÉ : MESUREZ ET NOTEZ VOTRE PRESSION ARTÉRIELLE

Connaissez-vous votre pression artérielle au repos ? Si ce n'est pas le cas, malheureusement, vous n'êtes pas la seule personne dans cette situation. Les résultats d'une étude récente menée aux États-Unis indiquent que 76 % des personnes dont la pression au repos était de plus de 140/90 mm Hg en étaient conscientes et que 65 % d'entre elles étaient traitées ; or, la pression ne s'était abaissée que chez 37 % des personnes traitées[56]. Voilà un tueur majeur et un facteur de risque énorme de démence qu'on peut mesurer facilement, sans douleur et à peu de frais. Pourtant, peu de gens connaissent leur pression artérielle…

Les gens qui mesurent souvent leur pression artérielle ont l'impression qu'elle est plus élevée dans le bureau du médecin qu'à la maison.

Cela est dû au fait que la pression s'élève quand l'organisme requiert un apport supplémentaire de sang, par exemple quand on fait de l'exercice ou que l'on est anxieux, comme c'est souvent le cas lors d'une consultation médicale. Il importe donc de la mesurer quand on est détendu et dans un cadre familier, la pression au repos étant la valeur la plus significative.

Pour ce faire, je recommande à mes patients de se procurer un tensiomètre pour usage domestique. C'est le meilleur investissement que vous ferez pour votre santé. Assurez-vous d'en bien comprendre le fonctionnement en vous informant auprès du vendeur, d'une infirmière ou de votre médecin. Le jour de la semaine où vous êtes le moins susceptible d'être stressé, asseyez-vous dans un endroit calme, ajustez le manchon, détendez vos jambes et votre corps pendant environ une minute, puis mesurez votre pression. Notez la date, ainsi que les deux valeurs dans un carnet ou un fichier que vous réserverez à cette fin. Faites-le toutes les semaines.

Quand vous consultez votre médecin, apportez cette information pour en discuter au besoin avec lui ou elle. Si votre pression est constamment élevée, demandez-lui ce que vous pouvez faire pour corriger le problème par vous-même. Si les mesures proposées ci-après ne la ramènent pas dans des valeurs normales, demandez-lui ce que la médecine peut faire pour vous.

QU'EST-CE QU'UNE PRESSION NORMALE ?

On considère comme normales, c'est-à-dire correspondant aux valeurs nécessaires pour garder le cerveau et l'esprit en santé, une pression systolique égale ou inférieure à 130 mm Hg et une pression diastolique égale ou inférieure à 80 mm Hg. Cela dit, la science cherche encore des réponses précises à la question de savoir ce qu'est une pression systolique normale. Présentement, on vise à ce qu'elle soit de moins de 130 mm Hg, peut-être même aussi basse que 110 mm Hg.

Dans l'étude SPRINT (Systolic Blood Pressure Intervention Trial – essai portant sur la pression systolique) menée par les National Institutes of Health américains, on a comparé le nombre de crises cardiaques et d'AVC des participants selon que leur pression systolique se situait sous les 140 mm Hg ou sous les 120 mm Hg. Les bienfaits qu'en retiraient les participants du second groupe étaient tels qu'on a interrompu l'étude avant le temps prescrit, la réponse étant absolument claire[57]. Chose importante, la population ayant fait l'objet de l'étude était diversifiée et comprenait, entre autres, des personnes âgées, des femmes ainsi que des personnes issues de minorités ethniques et raciales. Il est donc crucial de viser à ce que la pression systolique au repos soit de 120 mm Hg ou moins.

Comparons cela à ce que j'ai vécu récemment. J'étais à la pharmacie et j'observais une dame mesurant sa pression au tensiomètre prévu à cet effet. Elle a ensuite apporté le rapport imprimé à un membre du personnel afin qu'il interprète ses résultats. « Pas de problème, lui a-t-il dit. Tant que c'est moins que 160, ça va. » Je ne savais pas si je devais crier ou pleurer. J'ai attendu que la dame sorte de la pharmacie, puis je me suis approché d'elle doucement en lui disant que j'étais médecin, et je lui ai expliqué qu'elle devrait viser à ce que le chiffre supérieur soit de 120 ou moins.

La documentation médicale est désormais très claire à ce sujet : si la pression systolique au repos se situe toujours au-dessus de 120, le risque de faire un AVC augmente, tandis que si elle baisse pour atteindre cette valeur ou moins, le risque que la maladie touche les vaisseaux sanguins qui alimentent le cerveau diminue. Cette information n'est toujours pas intégrée dans les conseils formels qu'on trouve sur les divers sites Web portant sur la pression artérielle. De fait, dans certains cas, les praticiens haussent les limites.

On continue parfois de qualifier de « préhypertension » la pression systolique se situant entre 121 et 139 mm Hg. En adoptant ce terme, on espérait que ceux dont la pression se situe dans ces valeurs prendraient les moyens nécessaires pour la faire baisser sans l'aide de médicaments, par exemple en apportant des changements à leur alimentation et à leur mode de vie. Malheureusement, ce n'est pas toujours le cas et tant le patient que le praticien se tournent vers autre chose et ne s'occupent pas de ce qui constitue un risque majeur pour la santé du cerveau. Cessons donc de tergiverser et visons une pression systolique au repos de 120 mm Hg ou moins.

COMMENT FAIRE BAISSER SA PRESSION ?

Parmi les causes de haute pression présentées plus haut, plusieurs peuvent être prévenues et prises en charge. De nombreux organismes, dont la Société canadienne de l'hypertension, la Fondation des maladies du cœur et de l'AVC, la clinique Mayo, la Société française d'hypertension artérielle et d'autres, ont dressé la liste des mesures à prendre pour faire baisser la pression avant de devoir recourir aux médicaments. Voici celles qui font consensus. Nous en verrons certaines plus en détail plus loin.

DIFFÉRENTES MESURES PERMETTANT D'ABAISSER LA PRESSION

1. Si vous êtes en surpoids, perdez vos kilos en trop ; plus votre poids se rapprochera des valeurs normales, plus votre pression le fera aussi.

2. Changez votre alimentation de manière à réduire votre apport en calories et en sodium, et augmentez votre consommation de fruits, de légumes et de produits laitiers à faible teneur en gras.

3. Limitez votre consommation d'alcool à deux verres ou moins par jour.

4. Devenez plus actif physiquement.

5. Faites en sorte de dormir suffisamment et bien.

6. Augmentez vos contacts sociaux et veillez à soulager votre stress.

7. Si vous fumez, écrasez.

Élaboré par le Programme éducatif canadien sur l'hypertension à partir des données disponibles dans la documentation médicale, le tableau 3.2 montre comment il est possible de faire baisser sa pression sans l'aide de médicaments, en apportant certains changements à son mode de vie.

TABLEAU 3.2 EFFETS RELATIFS SUR LA PRESSION ARTÉRIELLE DES CHANGEMENTS MAJEURS APPORTÉS AU MODE DE VIE[58]

CHANGEMENT	RECOMMANDATION	BAISSE DE LA PRESSION SYSTOLIQUE
Perte de poids	Maintenir l'IMC entre 18,5 et 24,9	4,4 mm Hg (pour une perte de poids de 5,1 kg)
Adoption du régime DASH	Alimentation riche en fruits, en légumes et en produits laitiers maigres ; apport réduit en gras saturés et en gras totaux	5,5 à 11,4 mm Hg (5,5 pour les normotendus, 11,4 pour les hypertendus)
Diminution de la consommation de sodium	Apport alimentaire limité à 2,4 g de sodium (ou 6 g de sel)	4 à 7 mm Hg (pour une diminution de 6 g d'apport quotidien en sel)
Activité physique	Activité physique aérobie de 30 à 60 minutes/jour, 3 à 5 jours/semaine	5 mm Hg
Consommation d'alcool modérée	Ne pas prendre plus de deux verres par jour (hommes) ou 1 verre par jour (femmes)	3 mm Hg (pour une baisse de 60 % si on consomme de 3 à 6 verres par jour)

Évidemment, l'idéal serait de réussir à ramener sa pression dans des valeurs normales par des moyens aussi simples que de modifier son alimentation, réduire sa consommation d'alcool et faire plus d'exercice. Cependant, si ce n'est pas possible, vous devrez discuter avec votre médecin des moyens médicaux qui pourront vous aider à atteindre votre objectif. De nombreux médicaments ont été mis au point dans ce but et beaucoup d'entre eux présentent peu d'effets secondaires. Votre médecin cherchera à éviter une baisse radicale de crainte de provoquer, au moment du lever, des étourdissements qui pourraient entraîner des chutes et, en conséquence, des fractures. Je ne le souhaite à personne, mais s'il faut prendre des médicaments pour ramener sa pression systolique à 120 mm Hg, faisons-le, avec prudence soit, mais faisons-le.

LE RISQUE DE DÉMENCE DIMINUE-T-IL SI LA PRESSION REDEVIENT NORMALE ?

La réponse est oui, sans équivoque. Comme on l'a vu, le fait de diminuer l'incidence de l'AVC contribuera à protéger le cerveau contre la démence. Or, une baisse de la pression systolique de 10 mm Hg entraîne une diminution de l'incidence de l'AVC de 38 %, alors que pour une baisse de 20 mm Hg, cette diminution passe à 60 %. Par conséquent, toute baisse de la pression systolique quand elle se situe au-dessus de 120 mm Hg contribue à réduire le risque de démence. Dans certaines études, on n'a pas réussi à démontrer cet effet positif parce qu'on a étudié trop rapidement les facultés cognitives à la suite de la normalisation de la pression ou qu'on a employé des mesures inadéquates pour les évaluer. Cependant, on a prouvé que, au bout d'à peine six mois de prise en charge de la pression, les facultés cognitives s'étaient améliorées[59].

Ce n'est pas une nouvelle découverte : en 1998, Ingmar Skoog et ses collègues ont démontré dans une étude portant sur une population donnée que la prise en charge de la pression artérielle contribuait à atténuer l'atrophie du cerveau chez les personnes âgées[60]. Plus récemment, deux analyses des données conjuguées de divers essais ont permis de démontrer que le traitement de l'hypertension chez les personnes âgées contribuait à protéger leur capacité à raisonner et leur mémoire[61, 62].

Pour cette raison, nous devrions saluer les progrès récents dans l'évaluation et le suivi de la pression artérielle à l'échelle de la population. Kaiser Permanente, un consortium de soins de santé présent dans certains États américains, a réussi à faire passer le pourcentage des patients dont l'hypertension est évaluée et suivie de 44 % en 2001 à 87 % en 2010[63]. Cela a entraîné, dans ce groupe, un déclin de 42 % de la mortalité par AVC. Au Canada, les données les plus récentes indiquent qu'on a aussi fait des progrès dans ce sens, mais qu'il y a encore place à amélioration. Ainsi, dans une étude où l'on a mesuré la pression dans la population en général, 32 % des gens chez qui elle était trop élevée n'étaient pas pris en charge pour ce problème[64].

> **Si vous souhaitez approfondir la question, poursuivez votre lecture. Sinon, allez à la prochaine règle, à la page 103.**

Comment changer son mode de vie ?

Le tableau 3.2 présenté à la page 97 est révélateur. Sa lecture permet de déduire qu'il serait possible de faire baisser notre pression systolique de 20 mm Hg simplement en changeant notre manière de manger et de boire, ainsi que d'autres habitudes. On réunit généralement ces aspects sous le vocable « mode de vie ».

Le problème, c'est qu'il n'est pas facile de changer son mode de vie. D'abord parce que le système de santé fournit rarement un suivi qui encouragerait les gens à respecter les mesures permettant de faire baisser leur pression. D'après mon expérience, on prend ses désirs pour la réalité quand on croit qu'il suffit de conseiller aux hypertendus de changer de mode de vie pour que la chose se produise.

C'est ce qui explique vraisemblablement les résultats d'une analyse récente effectuée par les Centres for Disease Control and Prevention des États-Unis qui montre que 67 millions d'Américains adultes ont une pression élevée, mais que seulement 31 millions d'entre eux sont traités de manière appropriée. Les 36 millions restants présentaient une pression élevée qui n'était ni évaluée ni suivie sur une base régulière, même si 88 % d'entre eux recevaient des soins de santé réguliers. Il importe que les politiciens, les responsables de notre système de santé, de même que mes collègues les médecins et les administrateurs des hôpitaux comprennent que, à défaut de prendre en charge l'hypertension qui affecte des millions de nos concitoyens, ceux-ci connaîtront une souffrance indicible et il en coûtera des milliards de dollars en soins de santé.

Une fois prise la décision de ramener votre pression dans des valeurs normales, vous augmenterez vos chances de réussite si vous parlez de votre objectif avec quelqu'un, idéalement une personne qui se soucie de vous. Si un membre de votre famille vous demande régulièrement, après que vous l'avez autorisé à le faire, si vous arrivez à relever le défi, vous serez plus encouragé à poursuivre dans ce sens. Si, à la fin d'un programme visant à arrêter de fumer, le bureau de votre médecin de famille vous appelait à l'occasion pour vous demander si vous vous abstenez toujours de fumer, vos chances de réussite augmenteraient. De la même manière, si un voisin acceptait d'aller marcher régulièrement avec vous, vous risqueriez moins de céder à la paresse, sans compter que vous auriez un défi à partager avec lui. Toutes ces méthodes ont été expérimentées et ont permis d'améliorer les chances de réussite.

Améliorer la santé cardiovasculaire à l'échelle de la population

En 2011, on terminait une étude très importante qui a obtenu une grande reconnaissance et de multiples prix[65]. Les auteurs voulaient vérifier l'efficacité d'un programme communautaire modelé sur celui du Programme de sensibilisation à la santé cardiovasculaire (CHAP) et en mesurer l'effet sur les maladies causées par une insuffisance vasculaire, telles que crise cardiaque, AVC et insuffisance cardiaque congestive. L'annexe 2, à la page 205, présente la liste des principaux éléments du CHAP.

Dans certaines villes canadiennes de taille moyenne, les auteurs de l'étude ont formé des bénévoles à mesurer la pression artérielle avec précision et à évaluer d'autres risques cardiovasculaires. Les bénévoles ont offert des séances d'information dans les pharmacies où ils étaient postés. Ils ont demandé aux clients âgés de 65 ans et plus s'ils acceptaient de participer au programme durant 10 semaines, puis ils ont mesuré la pression artérielle de ceux qui le voulaient bien et ont répondu à leurs questions au sujet d'autres facteurs de risque vasculaires. Selon une entente préalable, on adressait à leur médecin de famille ou à la salle des urgences les clients dont la pression était trop élevée.

Les observations des chercheurs portaient sur le nombre d'admissions à l'hôpital pour cause de crise cardiaque, d'AVC et d'insuffisance cardiaque congestive durant l'année précédant le début du programme, comparativement aux données obtenues dans l'année suivant sa mise en œuvre.

Les chercheurs en ont conclu que, en un an, le programme CHAP était associé à une baisse relative de 9 % des admissions à l'hôpital dues à des maladies cardiovasculaires. Cette baisse était entièrement attribuable à l'information prodiguée aux clients sur la nature des facteurs de risque et les moyens à prendre pour les réduire de même que sur leur participation au programme. Ainsi, un grand nombre de citoyens ont vu leur santé s'améliorer en investissant un peu de leur temps; ils ont tous pu rester productifs au travail et présents à leur famille.

Dans les pages suivantes, j'aborderai les changements à apporter au mode de vie, en prodiguant des conseils spécifiques à chacun.

RÈGLE Nº 4

MANGEZ BIEN ET ÉVITEZ LE SURPOIDS

La nourriture est essentielle à la vie… mais avec modération. En excès, elle a des conséquences graves sur la santé, tant physique que mentale. Déjà les Anciens reconnaissaient que les abus alimentaires pouvaient être nuisibles. En effet, selon un dicton : « On ne doit commencer à manger que quand on a faim et arrêter de le faire avant d'avoir le ventre plein. » Dans nos sociétés occidentales modernes, non seulement nous aimons manger beaucoup, mais nous consommons aussi des aliments très caloriques.

L'obésité affecte négativement notre santé de multiples manières ; elle est, entre autres choses, un facteur de risque de démence, d'où le fait que l'épidémie d'obésité à laquelle on assiste présentement soit particulièrement inquiétante. Dans les pages qui suivent, vous découvrirez l'étendue du problème et ses diverses causes dans le monde. Vous y trouverez également des conseils éprouvés sur les moyens à prendre pour le contrer.

Dès maintenant, je tiens à affirmer catégoriquement que je ne porte aucun jugement moral sur les personnes obèses. Mon seul désir est d'expliquer en quoi consiste la maladie, de sorte que chacun puisse être conscient à la fois des causes et des conséquences de l'obésité. Je vois celle-ci comme un problème médical qui exerce des effets négatifs sur la santé en général, et celle du cerveau en particulier. Je tiens à assurer de mon soutien toute personne obèse qui s'en inquiète et souhaite faire quelque chose pour corriger cet état.

OBÉSITÉ : QUELLE EST L'AMPLEUR DU PROBLÈME ?

Où que nous vivions sur la planète, nous sommes tous plus gros qu'auparavant. En conséquence, comme le montre la figure 4.1, près de 70 % des Américains, hommes et femmes confondus, sont en surpoids (IMC de 25 ou plus) et la moitié de la population satisfait au critère d'obésité (IMC de 30 ou plus). Au Canada, en 2009, 25 % des hommes et 23 % des femmes étaient obèses. En France, on s'en tire un peu mieux. L'Organisation européenne pour le développement économique estime que 12 % de la population est obèse[66]. Dans les pays en voie de développement, le nombre d'obèses et de personnes en surpoids s'est multiplié par 4 au cours des 30 dernières années et s'élève désormais à un milliard. Ces chiffres sont accablants[67].

FIGURE 4.1 POURCENTAGE D'ADULTES EN SURPOIDS OU OBÈSES DONT L'IMC EST DE 25 OU PLUS, PAR PAYS

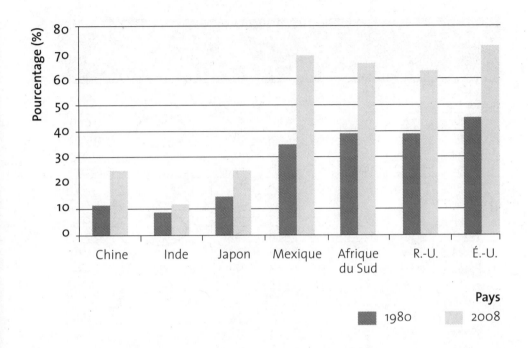

Encore plus inquiétant, le problème touche désormais les jeunes, comme c'est le cas pour l'hypertension. En France, 20 % des enfants sont en surpoids, et parmi ceux-là, 4 % sont obèses[68]. Au Canada, les statistiques montrent que la jeune génération souffre d'obésité significative, comme l'indique le tableau 4.1. Entre 1994 et 2005, on a assisté à une hausse de 19 % de l'obésité dans le groupe des 12 à 34 ans – pour les garçons, le pourcentage est de 40 % – et de 20 % dans celui des 35 à 39 ans.

TABLEAU 4.1 TENDANCES CANADIENNES À L'OBÉSITÉ ENTRE 1994 ET 2005, SELON L'ÂGE, LE SEXE, L'ANNÉE, LA PRÉVALENCE ET LE POURCENTAGE[69]

SEXE/ÂGE/ANNÉE	1994	1996	2001	2003	2005	CHANGEMENT RELATIF ENTRE 1994 ET 2005, EN %	VALEUR P
Les deux sexes							
12-34	7,4	6,6	8,5	8,8	8,8	19	0,046
35-49	13,5	12,5	15,2	14,9	16,2	20	0,040
50-64	17,2	16,3	18,9	19,6	19,9	15	0,023
65-74	15,4	15,0	16,6	17,0	17,6	14	0,011
≥ 75	9,8	8,6	10,4	10,8	11,7	19	0,07
Hommes							
12-34	7,2	7,1	9,6	10,4	10,0	40	0,014
35-49	13,6	14,2	16,8	16,4	18,6	37	0,009
50-64	17,9	16,8	19,5	20,2	21,0	17	0,026
65-74	13,9	15,5	16,1	16,2	17,4	25	0,022
≥ 75	8,8	7,5	8,7	10,4	11,0	25	0,09
Femmes							
12-34	7,6	6,1	7,4	7,3	7,6	< 1	0,51
35-49	13,3	10,8	13,7	13,4	13,7	4	0,34
50-64	16,6	15,9	18,3	18,9	18,8	13	0,025
65-74	16,9	14,4	17,1	17,8	17,8	6	0,21
≥ 75	10,9	9,7	12,1	11,1	12,3	14	0,16

Les enfants commencent généralement à engraisser autour de six ans, mais s'ils font des excès alimentaires avant cet âge, ce processus peut commencer plus tôt. Chose importante, les enfants qui prennent trop de poids ou le font à un très jeune âge courent beaucoup plus de risques que les autres, une fois adultes, d'être obèses, de souffrir d'hypertension et d'une élévation excessive du taux de lipides sanguins.

COMMENT DÉTERMINER SI VOUS ÊTES EN SURPOIDS OU OBÈSE ?

Pour décider si votre poids pose problème, il faut d'abord mesurer votre taille. Une partie du problème vient de ce que, en vieillissant, on rapetisse. On ne peut donc se fier à sa taille de jadis. Passé 60 ans, on doit la mesurer tous les ans, histoire d'avoir une mesure juste de la réalité.

Ensuite on doit se peser. À quelle fréquence ? Avant que vous ne vous inscriviez à un programme de correction du poids, je tiens à vous rappeler qu'une seule personne devra faire le boulot, c'est-à-dire vous. Il est donc essentiel que vous surveilliez votre poids, ce qui signifie que vous devez savoir à quoi vous en tenir. Bref, pesez-vous à intervalles réguliers, au moins une fois par semaine, idéalement tous les jours.

Ces deux mesures en main, vous pouvez calculer votre indice de masse corporelle (IMC). Cet indice est important puisque le poids en soi ne veut rien dire si on ne tient pas compte de la taille.

- On calcule donc l'indice de masse corporelle en tenant compte de la taille et du poids d'une personne. La formule est la suivante : IMC = kg/m^2, où kg représente le poids de la personne et m^2, sa taille en mètre au carré. Si vous connaissez plutôt votre taille en pieds et votre poids en livres, consultez un des nombreux outils de conversion présentés sur Internet. Voici le calcul de l'IMC pour un homme pesant 76 kilos et mesurant 1,80 mètre : 76 ÷ (1,8 X 1,8) = 23,4.
- Si votre IMC est de 25 ou plus, vous êtes en surpoids, les valeurs normales se situant entre 18,5 et 24,9. Cet indice s'applique à la plupart des adultes de 18 à 65 ans.

Bien que l'IMC soit un meilleur indice que le poids seul pour déterminer si on est en surpoids ou non, il n'est pas parfait puisqu'il ne tient pas compte de la forme du corps, par exemple si on est musclé plutôt qu'obèse, ou si la graisse se situe surtout autour de sa taille. Par conséquent, une autre manière de le déterminer consiste à mesurer son tour de taille, car il y a une corrélation directe entre celui-ci et le risque de souffrir de diabète, d'hypercholestérolémie et de durcissement des artères[70]. De plus, le tour de taille pourrait constituer une mesure plus juste de notre état de santé : chez les adultes américains, il s'est accru de 2,5 centimètres entre 2000 et 2012, alors que l'IMC a peu changé[71].

Prenez votre mesure juste au-dessus des os de la hanche. Cette information permettra aussi de déterminer si vous êtes obèse : votre tour de taille ne devrait pas équivaloir à plus de la moitié de votre taille. Par exemple, le tour de taille d'une femme mesurant 1,60 mètre ne devrait pas dépasser 80 centimètres.

LES CONSÉQUENCES DE L'OBÉSITÉ

Chez les enfants d'âge préscolaire, l'obésité peut avoir beaucoup de conséquences malheureuses à long terme. Elle peut entraîner des troubles de santé chroniques, des difficultés d'adaptation sociale et de piètres résultats scolaires[72]. L'obésité reprogramme le cerveau. Les régions responsables de signaler le sentiment de satiété ne sont pas aussi actives dans le cerveau d'une personne obèse que dans celui d'une personne non obèse, tandis que celles qui signalent qu'on mérite une récompense le sont davantage. En outre, l'alimentation durant l'adolescence aura des effets déterminants sur les choix alimentaires futurs, ce qui peut expliquer pourquoi il est difficile de suivre un régime plus tard, quand l'obésité apparaît[73].

Une alimentation riche en gras tôt dans l'existence a pour effet de désactiver en partie les régions qui envoient un signal de récompense, de sorte que la personne a besoin d'une plus grande quantité d'aliments caloriques pour se sentir contentée. De plus, l'obésité a pour effet d'altérer la perception gustative, ce qui fait qu'on acquiert une préférence pour les aliments gras[74]. Cela pourrait expliquer pourquoi les fabricants de produits caloriques affirment qu'ils ne font que fournir aux consommateurs ce qu'ils demandent (comme c'est le cas du burger Cronut décrit un peu plus loin).

Ainsi, l'obésité transforme le cerveau de manière à se perpétuer et les fabricants de produits alimentaires voient les enfants obèses comme les garants de leurs sources de revenus futurs. Voilà pourquoi il faut beaucoup de volonté pour corriger ce problème. Ne croyez pas une seconde le battage publicitaire voulant que ce soit facile de perdre du poids. C'est l'une des choses les plus difficiles qui soient. Peut-être serait-il donc utile de décrire les effets négatifs de l'obésité sur la santé afin de nous encourager à la combattre !

En premier lieu, je tiens à dire qu'il n'existe pas une telle chose qu'une « obésité saine ». Bien des médecins, de même que divers organismes, voient désormais l'obésité comme une maladie. Les résultats d'études indiquent que les obèses sont huit fois plus susceptibles de souffrir de troubles de la santé que les personnes dont le poids est normal. Ils sont plus sujets au diabète de type 2, à l'hypertension et aux anomalies dans les taux de cholestérol.

Par ailleurs, la graisse abdominale en excès n'a rien d'une substance inerte. Cette graisse est un « organe » additionnel métaboliquement actif qui secrète des substances chimiques pro-inflammatoires dans le sang. Par conséquent, parmi ses effets négatifs, l'obésité affaiblit le système immunitaire, ce qui agit négativement sur les vaisseaux sanguins, qui se dilatent et se contractent alors avec plus de difficulté en réponse aux besoins métaboliques du cerveau[75].

En novembre 2013, un article publié dans le *Canadian Medical Association Journal* rapportait un lien direct entre le système immunitaire et notre santé vasculaire. Ce rapport spécifiait que si le taux d'interleukine 6 (un composé pro-inflammatoire) était élevé dans le système immunitaire d'une personne à deux reprises sur une période de cinq ans, ses chances de bien vieillir diminuaient de moitié, tandis que les risques qu'elle souffre de cardiopathie, de diabète et même de certains cancers augmentaient sensiblement[76]. On a aussi prouvé qu'il existait un fort lien entre un IMC trop élevé et une hausse de la pression artérielle[77] ; on a d'ailleurs confirmé que les complications de l'obésité comprenaient désormais l'AVC, tant manifeste que furtif.

Quant à la démence, on a établi une corrélation positive entre cette maladie et un IMC élevé, comme cela a été démontré à de multiples reprises dans l'étude Honololu-Asie sur le vieillissement[78] et, plus récemment, par Xu et ses collègues dans la revue *Neurology*[79]. Quelques années plus tôt, le Dr Debette et ses collègues faisaient la preuve que le volume du cerveau des individus affligés d'un excès de graisse abdominale était plus petit que celui des autres[80]. Par conséquent, que ce soit directement ou par ses effets sur la pression artérielle et sur l'incidence de l'AVC, l'excès de poids contribuera tôt ou tard à des troubles cognitifs et à la démence.

L'EFFET DU DIABÈTE SUR NOS CAPACITÉS COGNITIVES

Le diabète de type 2 est l'une des complications les plus graves de l'obésité. Tout comme cette dernière, il est de plus en plus répandu, et ce, partout dans le monde. Par exemple, au Canada, il y a déjà plus de trois millions de personnes qui en souffrent et le nombre d'enfants touchés ne cesse de croître. Les complications de cette maladie sont à long terme : non traitée, elle précipite l'apparition de troubles artériels et crée un milieu toxique pour le cerveau. Sans compter les effets négatifs qu'elle exerce sur l'apport de sang aux reins, ce qui entraîne souvent le recours à la dialyse chronique, de même que sur les membres, ce qui, dans les cas extrêmes, nécessite une amputation afin d'éviter la gangrène, et enfin sur l'appareil de reproduction, ce qui cause un dysfonctionnement sexuel.

Non traité, le diabète exercera des effets négatifs sur la capacité à raisonner, la mémoire et d'autres aspects de la cognition. Avant même que les complications, telles que l'AVC, soient évidentes, le déclin mental est souvent perceptible, ce qui confirme la toxicité de cette maladie sur le cerveau. L'association « diabète et démence » a d'ailleurs été amplement confirmée dans une étude portant sur un million de Taïwanais qu'on a suivis durant 11 ans[81]. Cette recherche a montré que l'incidence de la démence était plus élevée chez les diabétiques que chez les autres.

Les changements alimentaires qui contribuent à atténuer les troubles cognitifs, par exemple l'alimentation de type « méditerranéen » dont il sera question plus loin, ne sont efficaces que chez ceux qui ne souffrent pas de diabète. Le risque que fait courir cette maladie à notre esprit est donc tel que les changements alimentaires ne peuvent, à eux seuls, le contrer. De plus, selon les lignes directrices destinées à prévenir les AVC qui figurent dans la documentation médicale relative au diabète, il est impératif d'exercer un contrôle strict de la pression artérielle et du taux de cholestérol chez les diabétiques. Autrement dit, cette maladie est tellement néfaste qu'il importe d'agir aussi sur les autres facteurs de risque vasculaire pour diminuer son effet.

NOTRE ALIMENTATION

Une analyse globale[82] a permis de confirmer les mécanismes qui lient l'alimentation riche en gras et en sucre aux troubles de la mémoire.

Plus tôt, un rapport australien démontrait que les régions du cerveau associées aux fonctions mémorielles des animaux qu'on nourrissait d'aliments gras et sucrés présentaient de l'inflammation, ce qui limitait leur capacité à bien fonctionner. Un certain nombre d'autres rapports ont indiqué que la fine structure des vaisseaux sanguins alimentant les sites de la mémoire se détérioraient dans un milieu riche en glucose[83]. Les auteurs de bien d'autres rapports mettent l'accent sur le fait que, une fois que sont lésés les centres de la mémoire de ces animaux à l'alimentation riche en glucose, il n'est pas certain qu'ils fonctionneront normalement à nouveau même si on leur redonne une alimentation saine.

Ainsi, que ce soit directement ou indirectement par le biais de ses complications, l'obésité contribue au déclin des facultés cognitives, y compris à la démence. La meilleure preuve de son effet négatif sur nos facultés cognitives pourrait venir, de manière quelque peu paradoxale, des patients qui subissent une chirurgie bariatrique, intervention destinée à réduire la taille de l'estomac. John Gunstad et ses collègues ont étudié la fonction cognitive chez plus de 100 patients ayant subi cette opération[84]. Avant l'intervention, 24 % des participants à l'étude présentaient des troubles d'apprentissage, tandis que la mémoire de reconnaissance était problématique chez 23 % d'entre eux. Douze semaines après l'intervention, leurs résultats à ces tests se sont normalisés. Voilà donc la preuve que l'obésité exerce un effet négatif sur notre capacité à mémoriser, à raisonner, à prendre de bonnes décisions et à exercer notre jugement. Le bon côté de la chose, c'est que cet effet est potentiellement réversible si on perd du poids avant que les voies mémorielles du cerveau n'aient subi trop de lésions.

Penchons-nous maintenant sur ce qu'il convient de consommer et d'éviter, dans notre alimentation.

Les bons aliments

Quand il occupait le poste de PDG de la Fondation des maladies du cœur et de l'AVC de l'Ontario, au Canada, Rick Gallop était très préoccupé par la montée de l'obésité à l'échelle mondiale. C'est durant sa présidence que les résultats de recherches ont confirmé l'effet négatif de l'obésité sur la santé vasculaire. Il a donc décidé de faire quelque chose pour contrer cette épidémie. Il a consolidé le concept d'indice glycémique et s'en est servi pour écrire *The G.I. Diet* (publié en français sous le titre *Le régime indice glycémique : la voie feu vert de la perte de poids permanente*), un livre dans lequel les couleurs des feux de circulation étaient employées pour classer les aliments. Ceux qui étaient en rouge présentaient un indice glycémique (IG) élevé, c'est-à-dire qu'ils étaient riches en sucre rapidement absorbé par le corps, si bien qu'il faut peu de temps avant que l'on ressente à nouveau la faim. Les aliments en vert présentaient un IG faible ; on pouvait les consommer sans craindre leur effet sur le poids. Dans la colonne jaune/orange, figuraient ceux que l'on doit consommer avec modération. Le but du livre était d'aider les gens à perdre du poids, sans avoir le sentiment de se priver, et de faire baisser les risques de cardiopathie, d'AVC et de diabète.

En plus de cette classification diététique, Rick Gallop conseillait de surveiller ses portions, spécifiant que la moitié de l'assiette devrait contenir des verdures ou d'autres légumes ; le quart, des protéines animales, de préférence du poisson ou du poulet ; le dernier quart, des aliments fournissant des glucides tels que la pomme de terre (pas de frites) ou le riz.

Il existe d'autres bonnes suggestions de régimes qui se révèlent sains. J'ai déjà proposé quelques idées dans la section portant sur la manière de réguler la pression artérielle. Quant au régime DASH (*Dietary Approaches to Stop Hypertension* – Approche nutritionnelle pour réduire l'hypertension), il a été mis au point par les National Institutes of Health des États-Unis dans le but d'abaisser la pression artérielle sans avoir recours aux médicaments[85]. En plus d'être efficace à ce titre, il contribue à faire baisser le taux sanguin de cholestérol. Riche en fruits, en légumes et en produits laitiers à faible teneur en gras, il met aussi l'accent sur les grains entiers plutôt que raffinés, et encourage la consommation de viandes, de poissons et de volaille maigres. Chose des plus importantes, il limite l'apport en sel.

Ce régime a pour effet d'améliorer les fonctions exécutives, la mémoire et l'apprentissage, tout en permettant de penser plus rapidement. Conjugué à un programme de gestion du poids et à de l'exercice aérobie, il contribue donc à rehausser la fonction cognitive chez les personnes souffrant d'hypertension[86].

On a aussi récemment validé scientifiquement l'efficacité du régime méditerranéen à réduire le risque de démence[87]. Cela tient peut-être au fait qu'il diminue jusqu'à 40 % le risque de souffrir du diabète[88]. Ceux qui adoptent cette alimentation peuvent également s'attendre à vivre plus longtemps[89], et même s'ils ne comptent pas les calories, leur risque de souffrir d'obésité et de diabète est plus faible[90]. En revanche, le cerveau des personnes à la cognition normale qui n'adoptent pas ce régime présente un ruban de matière grise plus mince, ce qui annonce peut-être des troubles à venir[91].

PRINCIPALES CARACTÉRISTIQUES DU RÉGIME MÉDITERRANÉEN

1. Fruits, légumes, légumineuses et noix en abondance.

2. Céréales et pains de grains entiers.

3. Huile d'olive extra vierge comme première source de gras.

4. Faible consommation de gras saturés et suppression des gras *trans*.

5. Faible consommation de produits laitiers.

6. Consommation de poisson, de volaille et d'œufs quelques fois par semaine.

7. Viande rouge seulement quelques fois par mois.

8. Consommation modérée de vin aux repas.

Comme on peut le voir, en plus de conseiller de consommer beaucoup de légumes, de fruits, de noix et de poisson, le régime méditerranéen prône l'emploi, pour la cuisson, d'huile d'olive, laquelle possède, parmi les corps gras, la plus haute teneur (77 %) de gras monoinsaturés. On s'attend donc à ce que ce régime contribue à réduire les maladies vasculaires, par exemple l'hypertension, mais nous disposons désormais de preuves voulant qu'il contribue aussi à diminuer les risques de souffrir de troubles cognitifs et de la mémoire[92]. Le régime méditerranéen semble également contribuer à prolonger la vie, en diminuant les risques de souffrir de cancer et de cardiopathie.

Dans une étude menée à Boston, et publiée en novembre 2013 dans le *New England Journal of Medicine*, des chercheurs ont analysé le bilan de santé de 120 000 patients et en ont conclu que, chez ceux qui consommaient des noix, quelle que soit la variété (pistache, arachide, amande), le risque de mourir durant l'étude diminuait de 20 % ; celui de souffrir du cancer, de 11 % ; et celui de souffrir de cardiopathie, de 29 %. Ces patients étaient aussi plus susceptibles d'être minces. Tout cela grâce à une poignée de noix par jour[93] !

Cette étude a porté un dur coup à la croyance voulant que, à cause de leur apport calorique, les noix fassent grossir. En effet, comme elles contribuent au sentiment de satiété, on est moins porté à consommer des aliments caloriques nocifs, comme les croustilles ou les friandises. Une analyse des études pertinentes dans ce domaine effectuée par le Dr Richard Mattes de l'Université Purdue, située à West Lafayette, aux États-Unis, a permis de découvrir que, la plupart du temps, les amateurs de noix ont un poids moindre que ceux qui n'en consomment pas[94]. De plus, ces aliments renferment des gras insaturés sains de même que d'autres nutriments bons pour la santé. Mon conseil à ceux qui se préoccupent toujours de la richesse calorique de ces aliments, c'est d'opter pour des noix en coque et de les écaler à mesure. Ainsi, on ne risque pas d'en avaler toute une poignée à la fois.

Alors, à vous les noix !

Les mauvais aliments

Nous menons tous une vie mouvementée, alors, souvent par manque de temps ou pour nous récompenser d'une dure journée de travail, nous optons pour les mets à emporter en revenant du boulot. Peut-être vous rappelez-vous l'histoire de M. T. que j'ai relatée dans la règle n° 2. Revenons-y un instant. Disons que M. T. rapporte à la maison un burger ; s'il s'agit d'un Big Mac, cela compte pour 550 calories, tandis que le quart de livre en fournit 520. Idéalement, il prendra une salade. S'il rapporte du poulet frit, il faut compter environ 2 000 calories pour seulement quatre morceaux. En plus d'être caloriques, les repasminute sont très probablement riches en gras saturés, en sel et en sucre, particulièrement si on y rajoute une boisson gazeuse. De plus, si M. T. (ou son épouse) ne fait pas les courses, cela signifie que les membres de sa famille et lui ne sont guère susceptibles de prendre des fruits et des légumes en collation.

Une étude récente a examiné les changements apportés à l'alimentation des Américains de 1970 à 2010[95]. Leur rapport révélait que, en 2010, ces derniers consommaient plus de bœuf et de porc que de poulet et de poisson, et en moyenne 9 kg de lipides (gras) de plus par année. Chose intéressante, selon ces auteurs, les Américains entretiennent la croyance que si un aliment est sain, on peut en consommer beaucoup. Nous entretenons peut-être tous ce genre de pensée coupable, mais il importe de garder à l'esprit que l'huile d'olive, malgré sa haute teneur en gras insaturés qui en fait un produit plus sain que le beurre et le lard, comporte tout de même autant de calories qu'eux. Cependant, à calories égales, il vaut mieux privilégier les bons gras. Nous y reviendrons.

Les aliments mortels

Les plats vendus dans les restaurants-minute semblent être de plus en plus caloriques. On a récemment décrit un repas offert au Canadian National Exhibition (une fête foraine estivale se déroulant chaque année à Toronto, au Canada), soit le burger Cronut, sorte d'hybride entre un beignet et un croissant qui, avec ses accompagnements et sa boisson, fournissait 7 500 calories ! C'est plus que l'équivalent des calories à consommer en trois jours. Un autre plat, une tarte vendue dans le sud des États-Unis, est composé de bacon recouvert de chocolat.

Il ne s'agit là que de deux exemples de plats préparés beaucoup trop riches. À noter que quand on a demandé aux propriétaires du restaurant préparant le burger Cronut pourquoi ils le vendaient, ils ont répondu qu'ils ne faisaient qu'offrir ce que les gens voulaient. Certains jeunes mettent malheureusement l'accent sur la « grosseur » du repas et les commerçants réagissent en fournissant aux consommateurs ce qu'ils désirent.

En Amérique du Nord, le volume d'aliments consommés a crû sensiblement en même temps que l'application des méthodes industrielles à la production alimentaire. Il est donc possible aujourd'hui d'acheter de grandes quantités d'aliments transformés à prix raisonnable. De fait, on trouve de plus en plus de formats géants. Les burgers contiennent deux ou trois galettes de viande et, dans certains restaurants, on peut consommer des pâtes à volonté. Les pêches et les fraises d'aujourd'hui ont peut-être moins de goût, mais elles sont certainement très grosses.

TROP DE GRAS
Le burger Cronut était composé de deux boulettes de bacon haché, d'une tranche de bacon enrobée de farine de maïs, de lanières de bacon croustillant et de cheddar. Il était accompagné de frites au bacon et au fromage et d'un lait frappé au beurre d'arachide et au bacon. La moindre petite partie de ce repas est chargée de gras saturés, les plus nocifs de tous.

Dans la nature, il existe en gros trois catégories de gras – les saturés, les mono-insaturés et les polyinsaturés.

1. Les gras saturés sont surtout d'origine animale, quoiqu'on en trouve aussi dans les huiles provenant de produits tropicaux tels que la noix de coco. Ce type de gras ne devrait pas représenter plus de 6 % de l'apport calorique total consommé par une personne.

2. L'huile d'olive est le prototype des gras mono-insaturés, mais on trouve aussi dans cette catégorie les huiles de canola et de tournesol, de même que les huiles de certaines noix. Employées avec modération, les huiles mono-insaturées contribueront à éliminer le « mauvais » cholestérol sanguin. On croit que c'est ce qui explique en partie le fait que le régime méditerranéen contribue à réduire le risque cardiovasculaire.

3. Les gras polyinsaturés sont ceux qui renferment les acides gras oméga, toutes catégories confondues. Pour qu'une huile polyin-

saturée soit bonne pour la santé, elle devrait renfermer des acides gras oméga-3 et oméga-6 en quantités égales. Malheureusement, nous consommons beaucoup plus d'huiles riches en oméga-6, qui proviennent du maïs, qu'en oméga-3, qui sont fournies par le poisson. Les oméga-6 sont de plus en plus présents dans notre alimentation, particulièrement dans les aliments transformés. Cela est dû au fait que des changements dans les subventions accordées par le gouvernement américain ont favorisé la production du maïs et en ont fait un produit bon marché. L'huile de coton, qu'on emploie surtout au Moyen-Orient, et l'huile de soya sont d'autres sources d'oméga-6. Les résultats d'études récentes ont montré que l'augmentation de l'apport en acide oméga-3 avait un effet positif sur la cognition, particulièrement chez les personnes qui souffrent d'un trouble léger à cet égard[96].

Les gras nocifs qu'il faut à tout prix éviter sont les gras insaturés fabriqués commercialement, aussi appelés les *trans* insaturés. Comparés aux gras saturés, ils présentent un risque beaucoup plus élevé. Les gras saturés sont essentiellement d'origine animale, tels ceux qu'on trouve dans le jaune d'œuf, le saumon et la viande rouge. En revanche, les gras *trans* sont présents dans les aliments transformés, tels que certaines margarines. Fabriqués industriellement, ils servent surtout à accroître la durée de conservation de ces aliments.

Dans une analyse récente de 41 études, des chercheurs se sont penchés sur le lien qui existait entre l'apport en gras saturés ou en gras *trans* et divers troubles de santé. Bien qu'on ait découvert qu'il n'y avait aucun lien entre la consommation des premiers et la cardiopathie, l'AVC ou le diabète, la consommation des seconds était associée à un accroissement de 34 % de la mortalité, toutes causes confondues, d'une augmentation de 28 % du risque de mourir par cardiopathie et de 21 % du risque de souffrir de cardiopathie[97]. Ces gras *trans* sont assurément à exclure.

Cependant et fort heureusement, on peut facilement limiter leur apport avec un peu de préparation et d'information. Le tableau de la valeur nutritive sur les emballages est un outil efficace pour savoir ce qu'on a ajouté aux aliments. La quantité de gras *trans* y est notamment indiquée. Lisez aussi la liste des ingrédients pour savoir si on y trouve des « huiles partiellement hydrogénées », qui constituent une source de gras *trans*. Parmi les aliments à éviter, citons les casse-croûte emballés, les biscuits, gâteaux et pâtisseries préparés, les plats surgelés, les mélanges à gâteau et le maïs éclaté au four à micro-ondes.

Par ailleurs, en Amérique du Nord, on a de plus en plus tendance à ajouter du gras même aux aliments les plus sains. Le poisson grillé ou cuit au four est un aliment très sain mais, s'il est enrobé de pâte et frit, il est beaucoup plus calorique, ce qui annule ses bienfaits. Je n'ai rien contre le poisson-frites à l'occasion, mais on ne doit surtout pas en prendre l'habitude.

Mon conseil en la matière : comme le poisson est riche en oméga-3, consommez-en davantage, mais ne le faites pas frire, et employez l'huile d'olive pour la cuisson ainsi que dans les sauces à salade. Les noix étant également riches en acides gras oméga-3, elles sont aussi à inclure dans son alimentation.

TROP DE SEL

On consomme en moyenne beaucoup plus de sel que la quantité recommandée. Plus de 70 % du sel qui se retrouve dans notre assiette vient des aliments transformés, des plats pris au restaurant et des produits prêts-à-manger. Cet excès de sel est certes cause de problèmes : les résultats d'une étude récente menée par Grimes et ses collègues, et publiée dans l'*American Journal of Clinical Nutrition*, indiquent que, dans un échantillon national représentatif des enfants américains, l'apport quotidien moyen en sodium était de 3 056 mg (l'équivalent de 7,8 g de sel par jour) et que plus ils consommaient de sel, plus ils prenaient de boissons sucrées, aggravant ainsi le problème de l'obésité[98]. En France, la consommation journalière de sel est en moyenne de 8,3 g par jour[99]. Gardez à l'esprit que le Réseau canadien contre les accidents cérébrovasculaires et d'autres organismes recommandent de limiter son apport quotidien à 1 500 mg de sodium, toutes sources confondues.

TROP DE SUCRE AUSSI

Depuis les années 1970, l'apport calorique quotidien provenant des boissons sucrées a doublé en Amérique du Nord. Mais, tandis que la consommation annuelle de boissons sucrées aux États-Unis était de 216 litres, et au Canada de 119 litres, elle n'était en France que de 37 litres[100]. Le sucre dérivé des boissons ne représente cependant que le tiers de celui que consomme le Nord-Américain moyen – le reste venant des aliments transformés, tels que certains pains et céréales à déjeuner, la confiture, la crème glacée et les gâteaux, de même que des aliments en conserve, tels que les sauces à salade et les sauces tomate[101].

Non pas que cela absolve les boissons gazeuses : un rapport publié en avril 2013 dans la revue *Diabetologia* par Dora Romaguera et ses collègues indique que la consommation d'une boîte ou plus de boisson sucrée par jour est associée à une hausse du risque de souffrir de diabète plus tard dans l'existence, ce qui confirme l'information ci-dessus voulant que les boissons sucrées soient associées à l'obésité[102]. Une étude plus récente publiée dans la revue *Circulation* rapporte qu'on peut attribuer aux boissons gazeuses la mort avant 45 ans de 1 % de Japonais et de 30 % de Mexicains. Les chercheurs de l'étude ont également découvert que, aux États-Unis, 25 000 décès par année pourraient être attribuables à ces boissons[103].

LES CAUSES DE L'ÉPIDÉMIE D'OBÉSITÉ

La figure 4.2 présente la synthèse des causes et des conséquences de l'obésité. La triste réalité physiologique, c'est que les repas chargés de gras et très caloriques agissent sur les centres de l'appétit et du plaisir du cerveau de manière telle qu'il est plus difficile de perdre son excès de poids. De fait, 7 % des femmes et 3 % des hommes admettent être accros à la nourriture, c'est-à-dire qu'ils mangent au point d'en être physiquement malades[104]. C'est probablement ce qui fait dire aux créateurs du burger Cronut qu'ils ne font qu'offrir au public ce qu'il demande.

FIGURE 4.2 CAUSES ET CONSÉQUENCES DE L'OBÉSITÉ

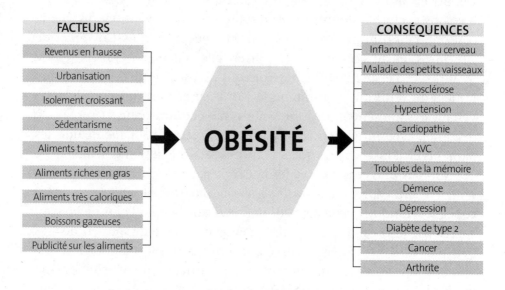

De nombreux facteurs cités à gauche contribuent à l'obésité. Malheureusement, ceux d'entre nous qui ont un excès de poids pourraient souffrir de certaines des conséquences indiquées dans la liste de droite.

La plus grande hausse du taux d'obésité s'est produite dans les pays riches et dans ceux dont le niveau de vie s'est récemment amélioré. Certains attribuent cette situation au fait qu'un revenu plus élevé permet aux consommateurs de se procurer plus d'aliments transformés, en même temps que la publicité les y encourage. L'amélioration du niveau de vie a aussi pour effet de déplacer les gens vers les villes, accélérant ainsi l'urbanisation et entraînant un mode de vie plus sédentaire. Le Qatar constitue peut-être la meilleure illustration de ce lien entre amélioration de la situation économique et obésité, car c'est dans ce pays, qui est le plus riche du monde, que l'on trouve actuellement le plus d'obèses[105].

Certains d'entre nous ont tenté de répondre au défi de maintenir un poids santé en se tournant vers les boissons diététiques sucrées aux édulcorants. S'il est vrai qu'elles sont moins caloriques, elles n'en présentent pas moins les deux risques suivants :

1. Comme on se sent vertueux d'avoir consommé des boissons faibles en calories, on s'accorde la permission de consommer plus de calories plus tard, parfois beaucoup plus que si on avait évité de prendre ces boissons en premier lieu. Ce phénomène a en fait un nom, soit la « distorsion cognitive », c'est-à-dire, dans ce contexte, l'art de se convaincre soi-même qu'on a le droit de se gaver puisque les boissons qu'on a avalées sont hypocaloriques ;

2. On aura probablement faim peu après. L'aspartame, l'édulcorant le plus souvent employé dans les boissons diététiques, est extrêmement sucré, mais comme cette saveur ne s'accompagne pas de calories, le cerveau cherche à compenser en déclenchant plus rapidement une sensation de faim.

Enfin, pour nombre d'entre nous, nourriture équivaut à réconfort. Elle ne satisfait pas uniquement les besoins de notre corps, mais également nos besoins émotifs. Par exemple, elle permettra de compenser l'isolement et le sentiment d'être émotionnellement démuni. Un estomac plein a pour effet de réconforter un cœur solitaire. Je ne connais pas de statistiques confirmant cette affirmation mais, à mon avis, la hausse confirmée du sentiment d'isolement dont il sera question plus loin alimente l'accroissement de notre tour de taille. Je pense que, pour comprendre ce qui cause l'épidémie d'obésité dans notre société, on doit être conscient de cette corrélation.

Malgré tous ces défis, on peut perdre ses kilos en trop. Il faut beaucoup de détermination pour y parvenir, mais c'est possible.

LES ATTITUDES ET LES COMPORTEMENTS FACILITANT LA PERTE DE POIDS ET LE MAINTIEN D'UN POIDS SANTÉ

S'il était facile de maigrir et de maintenir un poids santé, la grande majorité des gens seraient minces. Malgré la difficulté de la chose, il vaut la peine de tenter le coup. Même une perte modeste, équivalant, par exemple, à 5 % du poids corporel, entraîne de nombreux effets positifs. Autre élément positif : la graisse abdominale nocive est particulièrement vulnérable à l'exercice. Le Dr Gary Hunter, de l'Université de l'Alabama, soutient que l'exercice vise cette graisse de manière particulière[106].

Toutefois, malheureusement, d'après mon expérience clinique, il n'y a pas de manière facile de perdre du poids. Se priver volontairement de la nourriture que l'on aime ou à laquelle on est habitué consiste à devoir faire un choix difficile entre le plaisir immédiat et la santé dans le futur. Il faut généralement un événement ou un incident malheureux pour se motiver à démarrer un programme de perte de poids et à s'y maintenir. Pour certaines personnes, c'est un pantalon qui est devenu trop petit ; pour d'autres, une remarque narquoise délibérée ou accidentelle sur leur apparence, ou encore l'apparition de l'une des nombreuses conséquences de l'obésité, par exemple un genou douloureux qui ralentit la marche ou une glycémie élevée qui fait dire au médecin que le diabète est à craindre. Une fois la décision prise, il importe de garder à l'esprit qu'il n'existe pas de méthode garantissant la perte de poids. Cela dit, il y en a trois qui semblent donner de bons résultats.

1. Une rupture brutale avec ses habitudes alimentaires. Les hommes optent souvent pour cette approche. Ils abandonnent soudainement leurs vieilles habitudes et adoptent, pour le reste de leurs jours, un des régimes recommandés plus loin.

2. La voie plus lente que, selon mon expérience, les femmes privilégient. Elles peuvent, par exemple, s'inscrire au programme Weight Watchers ou à un autre programme en ligne, ou encore moduler leurs habitudes alimentaires en éliminant certains aliments particulièrement caloriques. Le soutien social favorise grandement la réussite de cette méthode.

3. La chirurgie bariatrique. Cette approche draconienne provoque un rétrécissement de la taille de l'estomac, ce qui rend difficile,

quoique pas impossible, la consommation de grosses quantités d'aliments.

En fait, il importe peu de savoir comment on en vient à vouloir perdre du poids. Par contre, l'aide de professionnels est extrêmement utile et, dans certains cas, essentielle. Quel que soit le déclencheur, si vous avez décidé de perdre vos kilos en trop, je vous félicite de choisir la santé plutôt que la maladie !

DES CONDITIONS GAGNANTES POUR PERDRE DU POIDS

Après avoir analysé de nombreuses études, je peux dire que vous avez de grandes chances de réussir à perdre du poids si vous respectez les conditions suivantes :

1. N'entreprenez votre programme de perte de poids que si vous êtes profondément et absolument décidé à protéger votre santé et vos fonctions cognitives futures. Vous devez être déterminé à réussir et avoir la conviction profonde que seuls des changements à vos habitudes alimentaires pourront vous permettre de perdre du poids. Il importe aussi que vous commenciez par évaluer et par comprendre ce qui, dans votre alimentation et votre mode de vie, vous a mené là où vous êtes.

2. Assurez-vous d'un soutien social pendant que vous poursuivez l'objectif difficile de perdre vos kilos en trop. Selon un rapport publié dans le *New England Journal of Medicine*, le soutien en personne et même celui que l'on reçoit à distance et sans face à face ont permis à des patients obèses de perdre sensiblement plus de poids, sans le reprendre, que les participants du groupe témoin qui ne recevaient pas de soutien[107]. Cette aide peut venir aussi des organismes communautaires de votre région. Quoi qu'il en soit, il importe que vous disposiez de l'appui d'une personne ou d'un groupe de personnes qui s'intéresseront à votre démarche, assureront un suivi et vous feront part de leurs réactions.

3. Une fois que vous êtes prêt, prenez garde à ne pas vous fixer des buts irréalistes. Visez plutôt à modifier votre comportement et vos habitudes à l'égard de l'alimentation au lieu de vous soucier des calories et du poids. En fait, il vaut mieux ne pas établir de poids cible au départ, ce genre de spéculation mentale ne menant·généralement qu'à la déception et poussant les gens à interrompre leur programme. Fixez-vous plutôt un but modeste, par exemple celui de perdre un demi-kilo à la fois. Adoptez un régime dont on a prouvé l'efficacité, par exemple le régime à faible indice glycémique ou le régime méditerranéen, et gardez à l'esprit que la taille des portions est la clé : même avec un régime sain, si vous mangez trop, vous prendrez du poids. Sachez toutefois que le rythme auquel vous perdrez du poids n'a rien à voir avec le fait de reprendre ou non des kilos plus tard. Donc, suivez votre rythme.

4. Ne sautez pas de repas. Prenez un petit déjeuner, idéalement des fruits. Durant la journée, prenez des collations saines. Ceux qui ont réussi à perdre du poids ont rapporté qu'en donnant fréquemment un petit quelque chose à leur système, ils mangeaient moins aux repas. S'il y a un aliment que vous aimez tout particulièrement, quel que soit son apport calorique, prenez-en de petites quantités. Ainsi, vous n'aurez pas le sentiment de vous priver d'un plaisir.

5. Remplacez les aliments malsains par leurs variantes saines. J'ai mentionné que le cerveau des personnes obèses avait une préférence pour les aliments gras, mais on peut aussi le rééduquer, de sorte qu'il préfère les aliments sains[108]. En suivant le régime méditerranéen, vous augmenterez la proportion de fruits, de légumes et de fruits de mer que vous consommez. Je vous conseille de mettre au menu du poisson ou d'autres produits de la mer trois fois par semaine et de limiter votre consommation de viande rouge à une portion par semaine ; mangez du poulet une ou deux fois hebdomadairement. Les deux derniers jours

de la semaine, prenez plutôt un plat comprenant des légumineuses – pois chiches, haricots, lentilles – dont on a prouvé qu'elles apportaient de grands bienfaits dans le cadre du régime méditerranéen.

6. Retirez la peau du poulet et du poisson, et gardez à l'esprit que le terme « persillé » qui apparaît sur l'emballage d'une viande signifie que celle-ci est grasse. Enlevez autant de gras que possible sur vos petites pièces de viande avant de les faire cuire. Laissez de côté toutes les fritures de même que tout ce qui est pané, puis cuit dans le gras. Évitez aussi d'acheter des viandes aromatisées ou marinées (les prêts-à-cuire), qui sont généralement riches en sel. Non seulement est-ce nocif mais, de plus, vous payez pour l'eau que la viande retient à cause du sel.

7. Consommez quotidiennement des fruits et des légumes. Il est recommandé de consommer au moins cinq fruits différents chaque jour, colorés de préférence, puisqu'on a prouvé que les fruits colorés abaissaient la pression artérielle, en plus d'apporter d'autres bienfaits. Mais au fond, tous les fruits et les légumes conviennent. Il est vrai qu'il vous en coûtera plus cher d'acheter des produits frais plutôt qu'en conserve, mais voyez ces coûts additionnels comme un investissement dans la santé future de votre cerveau.

8. Attention aux casse-croûtes ! Si vous êtes incapable de résister à certains aliments (comme la crème glacée ou le gâteau), prenez la résolution de ne pas en acheter afin de ne pas être tenté d'en manger. Pour les collations, optez pour un fruit ou pour des légumes croustillants tels que bâtonnets de carotte ou de céleri, qui sont rafraîchissants et possèdent un indice glycémique faible. Méfiez-vous toutefois de la sauce et de la trempette, qui peuvent être très caloriques et qui, dans ce cas, neutraliseraient les effets positifs des légumes. Vous pouvez aussi manger quelques noix, de préférence non salées et dans leur coque. Finalement, évitez

tout ce qui est présenté dans un joli sachet brillant. Tous vos aliments devraient être dans leur état naturel ; autrement dit, proscrivez tout ce qui est aliment transformé.

9. Évitez les buffets où l'on se sert à volonté. On a prouvé que, dans cette situation, le glouton en nous se réveillait et se transformait en une bête insatiable. Abstenez-vous aussi de faire vos courses l'estomac vide. Des chercheurs ont fait la preuve que, quand on a l'estomac vide, on achète des aliments plus caloriques que quand on a pris un léger goûter auparavant[109].

10. Gardez à l'esprit que la consommation d'alcool avant ou durant un repas pousse à une plus grande ingestion de calories[110]. L'alcool est en quelque sorte une épée à double tranchant : à raison d'un verre par jour, il contribue à réduire certains risques vasculaires car il dilate et détend les vaisseaux sanguins, mais en plus grande quantité, il favorise le gain de poids et, de plus, exerce un effet négatif sur la cognition.

11. N'utilisez pas le service au volant des restaurants et ne mangez pas assis dans votre voiture. Vous perdriez ainsi une bonne occasion de neutraliser une partie des calories ingérées. Garez votre voiture le plus loin possible et marchez d'un pas rapide jusqu'au restaurant, puis passez votre commande. Au moins, vous aurez bougé et brûlé quelques calories. Évidemment, évitez les plats-minute très caloriques.

12. Ne laissez pas la salière sur la table. La plupart des légumes sont naturellement salés et si vous les consommez frais, c'est tout le sel dont vous avez besoin. Chose intéressante : les gens qui consomment beaucoup de sel et qui arrêtent soudainement de saler trouvent leurs aliments insipides. Mais si, au bout de trois semaines, ils reprennent leurs habitudes, leurs plats leur semblent alors extrêmement salés. Cela s'explique par le fait que les papilles gustatives mettent un certain temps avant de s'ajuster à la quan-

tité de sel consommée. Par conséquent, éloignez la salière, ne salez pas vos aliments et soyez patient un certain temps.

CE N'EST PAS SEULEMENT CE QU'ON MANGE QUI COMPTE, MAIS AUSSI COMMENT ON MANGE

Nous ne mangeons pas uniquement pour remplir notre estomac. Nous le faisons aussi pour satisfaire notre cerveau, qui voit la nourriture comme la récompense d'un travail productif. Par conséquent, à mon sens, il est important de prendre le temps d'apprécier nos aliments. Il est vrai qu'on n'a parfois que quelques minutes pour manger et qu'on doive se contenter de ramasser de quoi se sustenter mais, même dans ce cas, il est essentiel de savourer et d'apprécier sa nourriture. Car il ne suffit pas que celle-ci comble l'appétit ; elle doit aussi nourrir l'âme.

Au début de 2014, on a demandé à des spécialistes quelle était la chose que les gens pouvaient faire pour être en meilleure santé cette année-là. J'aime bien ce que le Dr Arya Sharma a répondu : « Si vous passez moins de 60 minutes par jour à manger, c'est que vous le faites trop rapidement. Il faut au moins 20 minutes à l'estomac pour informer le cerveau que vous avez mangé. Pour éviter les excès alimentaires, prêtez attention à ce que vous mangez, mastiquez, savourez chaque bouchée et évitez les distractions durant le repas, par exemple la conduite, les appels téléphoniques ou les textos[111]. »

Voici quelques observations montrant comment certains d'entre nous vont à l'encontre de cette règle fondamentale. Par exemple, bien des gens coupent un morceau d'aliment dans leur assiette et à peine l'ont-ils mis dans leur bouche que leurs ustensiles sont déjà occupés à préparer la bouchée suivante. Quand on fait cela, on ne goûte pas ce qu'on mange et l'esprit n'enregistre pas qu'on le fait. Toute notre attention va vers le prochain morceau. Voilà qui conduit invariablement à des excès alimentaires. Je vous recommande donc fortement de manger avec pleine conscience : après avoir pris une bouchée, déposez vos ustensiles, soyez attentif au goût de l'aliment que vous mastiquez et appréciez-le ; ne reprenez vos ustensiles que quand vous avez avalé la bouchée. Vous découvrirez que vous mangez moins ainsi, que vous avez plus rapidement le ventre plein et que vous appréciez mieux votre nourriture. Les résultats d'une étude récente confirment que les gens qui mangent lentement ingèrent moins de calories que les autres[112]. Peut-être ne serez-vous pas surpris d'apprendre qu'un inventeur a créé une fourchette, la HapiFork, qui vire au rouge et vibre si le mangeur ne prend pas une pause de 10 secondes entre ses bouchées.

Une autre habitude qui, à mon avis, est nocive, c'est le « multitâche » en mangeant. Certains prennent leur petit-déjeuner distraitement en lisant le journal ou les courriels reçus durant la nuit. D'autres prennent le repas du soir en regardant la télé ou l'écran de leur ordinateur. Le fait de manger alors que l'esprit est absorbé par une autre activité va à l'encontre de la règle qui consiste à manger avec conscience. Cela contribue à priver l'esprit de la satisfaction qui vient à mesure que l'on mange. En conséquence, le ventre est plein, mais l'esprit a faim, si bien que vous recommencerez à manger dans le but de combler les besoins de ce dernier.

L'EXERCICE NE CORRIGE PAS LES EXCÈS ALIMENTAIRES

Y a-t-il un problème à manger plus que nécessaire dans la mesure où l'on peut dépenser ses calories en trop en faisant de l'exercice ? Non, en théorie, il n'y a rien de mal à cela… sauf que ça ne fonctionne pas. Un de mes amis avait l'habitude de se rendre à une pâtisserie française durant les weekends pour prendre un café latte et un croissant aux amandes. Il a été consterné d'apprendre que les calories de ce simple repas annulaient pratiquement toutes les dépenses énergétiques de sa semaine d'exercice.

Il existe sur Internet des sites qui indiquent les activités permettant de brûler des calories et précisent combien sont effectivement brûlées par chacune d'elles. Je vous invite à les consulter. Peut-être aurez-vous quelques surprises…

Voici, par exemple, quelques-unes des activités que le consommateur du burger Cronut devait effectuer dans le but de brûler les 7 500 calories que ce repas fournit :

- courir 8 heures à 11 km/h ;
- rouler tranquillement à vélo durant 23 heures ;
- ramer vigoureusement durant 10,7 heures.

La plupart des gens n'ont ni le temps ni la volonté de s'engager à faire autant d'exercice. Surtout, l'exercice ne permet pas de brûler autant de calories qu'on veut bien le croire. La meilleure façon d'éviter les kilos en trop, c'est justement d'éviter de les accumuler en premier lieu.

Dans les prochains chapitres, nous nous pencherons sur d'autres enjeux du mode de vie dont vous devriez être conscient si vous désirez en faire plus encore pour protéger votre capacité à raisonner et votre mémoire, et pour éviter la démence.

RÈGLE Nº 5

BOUGEZ !

Nous disposons désormais de preuves solides voulant que l'activité physique contribue à protéger le cerveau contre divers dommages. Voyons maintenant de combien d'activité physique nous avons besoin et quels exercices sont le plus susceptibles de préserver la vitalité du cerveau. Vous trouverez également dans les pages qui suivent des suggestions sur la manière d'intégrer l'activité physique dans votre quotidien de manière à réduire, voire à éliminer, le besoin d'entraînement formel. Nous verrons aussi quels sont les effets potentiellement néfastes de l'exercice excessif et soudain.

LE PROBLÈME À CORRIGER

Une confluence de facteurs, que l'on qualifie généralement de «facteurs de civilisation», contribue à nous rendre de moins en moins actifs physiquement et intellectuellement. Ainsi, nous sommes nombreux à manquer de sommeil, à conduire (assis) pour nous rendre au travail, à travailler (assis) au bureau, à manger (assis) le midi, à retourner à la maison (assis) en voiture, à manger (assis) le soir, puis à nous asseoir à nouveau pour travailler un peu plus ou pour regarder la télé, lire le journal ou répondre aux courriels ou aux textos.

En France, durant les journées de travail, on passe en moyenne 12 heures assis par jour[113]. On estime que 48 % des Canadiens adultes sont inactifs et que les Américains de plus de 65 ans regardent la télé en moyenne 4 heures et 40 minutes chaque jour. Seulement 10 % d'entre eux marchent une heure par jour, les autres consacrant moins de temps à cette activité[114]. Selon une enquête menée en 2013 au Royaume-Uni, le quart de la population marche moins d'une heure par semaine et 40 %, moins de deux heures[115]. Les résultats d'une étude plus récente menée auprès de 2 000 employés de bureau du Royaume-Uni indiquent que 45 % des femmes et 37 % des hommes passent moins de 30 minutes par jour debout au travail[116].

Non seulement les exigences de la vie moderne limitent-elles les occasions de marcher et de bouger, mais nous avons en quelque sorte ancré dans notre psyché et dans notre comportement l'idée qu'il fallait éviter l'activité physique. La photographie de la figure 5.1 ne constitue-t-elle pas un triste commentaire sur notre désir absurde d'éviter l'activité physique même quand on la recherche? Je suppose que les deux jeunes hommes figurant sur la photo manquent de temps, comme c'est notre cas à tous aujourd'hui, et s'imaginent qu'ils arriveront plus vite à la salle d'entraînement en utilisant l'escalier roulant. Ils le prennent peut-être aussi simplement parce qu'il est là mais, ce faisant, ils privent leur corps d'une occasion de bouger.

FIGURE 5.1 POURQUOI CES ADEPTES DE LA MISE EN FORME PRENNENT-ILS L'ESCALIER ROULANT?

Nous sommes tous pressés, nous cherchons tous à être efficaces et, inconsciemment, à grappiller une minute par-ci par-là. Je travaille dans un hôpital animé et il y a généralement foule au pied des ascenseurs, souvent pour ne monter qu'un ou deux étages. Nous avons aussi tous observé (et peut-être sommes-nous coupables de l'avoir fait nous-mêmes) des gens tourner en rond dans leur voiture jusqu'à ce qu'ils trouvent un espace de stationnement proche de l'entrée d'un centre commercial, plutôt que de se garer plus loin, là où il y a beaucoup de places libres, et de marcher d'un bon pas jusqu'à l'entrée. Sans oublier ceux d'entre nous qui commandent au service au volant des mets à emporter qu'ils avaleront ensuite assis dans leurs voitures.

Pourquoi donner tous ces exemples? Parce que ce sédentarisme influe négativement sur notre esprit. Le tableau 2.2 présenté à la page 73 précise que le pourcentage de démence attribuable au sédentarisme est de 12,7 % dans le monde, mais de 21 % en Amérique du Nord. Je tenterai donc de vous faire des suggestions qui vous permettront d'être beaucoup plus actif et qui tiennent compte du fait que vous avez probablement peu de temps à consacrer à l'exercice physique.

COMMENT L'ACTIVITÉ PHYSIQUE PEUT-ELLE ÊTRE UTILE À MON CERVEAU ET COMBIEN DOIS-JE EN FAIRE ?

Quand on fait de l'activité physique, par exemple monter un escalier, rouler à vélo ou marcher rapidement, les muscles qui travaillent exigent un apport plus élevé en sang. Pour le fournir, les artères doivent se détendre, s'ouvrir en quelque sorte. Durant l'effort lui-même, le cœur bat plus fort et la pression s'élève de manière à irriguer tous les organes au travail, dont les muscles actifs et le cœur. C'est à l'issue de l'effort physique que l'on observe des bienfaits : comme les vaisseaux sont détendus, la pression artérielle au repos descend et le pouls au repos ralentit du fait que le cœur est en meilleure forme[117].

Je peux habituellement savoir si mes patients mènent une vie active simplement en sentant leur pouls ou en écoutant leur rythme cardiaque au stéthoscope. Ceux dont le rythme au repos est relativement plus rapide sont généralement surpris quand je leur dis qu'ils ne semblent pas être dans une forme idéale et me demandent comment j'en suis arrivé à cette conclusion. Quand on est sédentaire, les artères ne sont pas détendues, le cœur bat plus vite et la pression artérielle peut rester élevée. Après avoir lu le chapitre sur la pression, vous savez désormais que si celle-ci est élevée, le corps et l'esprit en sont grandement affectés, tandis que si elle est plus basse, on en tire des bienfaits significatifs.

L'activité physique apporte de nombreux autres bienfaits. Ainsi, les muscles actifs utilisent du glucose, si bien que la glycémie se stabilise, ce qui réduit le risque de souffrir du diabète. De plus, quand l'activité physique fait partie de la routine quotidienne, il y a moins d'inflammation dans le sang qui circule dans le corps, chose fort utile pour tous les organes, y compris pour le cerveau. Cela pourrait expliquer, entre autres choses, pourquoi l'incidence de l'AVC est plus faible chez les personnes qui marchent beaucoup, du moins si on considère les résultats d'une étude publiée récemment dans la revue *Stroke*[118].

Nous avons encore beaucoup à apprendre sur le lien qui existe entre activation des muscles et santé du cerveau, mais il ne fait aucun doute qu'il existe. Nos muscles conversent avec notre cerveau, particulièrement avec les centres de la mémoire. Quand ils bougent, ils influent positivement sur cet organe à de nombreux égards. S'ils bougent beaucoup, le cerveau est en meilleure santé; autrement, il s'affaiblit, particulièrement en ce qui concerne les centres de la mémoire, et il pourrait même tomber en panne.

Il y a environ 20 ans, mon laboratoire a montré que l'AVC causait moins de lésions cérébrales quand la concentration du facteur neurotrophique dérivé du cerveau (un facteur qui donne un élan de croissance aux cellules) était plus élevée. Or, il se trouve que l'exercice contribue à activer ce composé. Des études ont de plus confirmé que ce facteur améliore la mémoire et encourage la bonne humeur[119, 120]. Il pourrait s'agir là d'un des mécanismes par lesquels il améliore la fonction cognitive. Par conséquent, l'exercice et un mode de vie actif constituent l'outil le plus efficace pour préserver la jeunesse, tant du corps que de l'esprit.

Jusqu'à tout récemment, nous étions convaincus que les gens naissaient avec un nombre déterminé de cellules cérébrales qui ne pouvait que décroître avec l'âge. Nous croyions qu'on ne pouvait remplacer ce qui était perdu et refaire les parties endommagées du cerveau. Nous savons désormais que celui-ci dispose au contraire d'une réserve de cellules souches qui peuvent être rappelées de leurs sites de stockage et expédiées là où le besoin s'en fait sentir. Or, voici une autre découverte qui a stupéfié la communauté scientifique: l'exercice est un activateur de ce processus de mobilisation et de migration des cellules souches. Bref, l'activité physique remodèle le cerveau au profit de son propriétaire.

Les résultats d'études prouvent également que l'inactivité a pour effet de modifier négativement les fonctions cérébrales. Dans l'étude qui a permis de démontrer les bienfaits que procure l'activité au cerveau, les chercheurs ont aussi déterminé les effets négatifs qu'un mode de vie sédentaire exerçait sur lui, notamment en affaiblissant la partie qui régule la pression artérielle, ce qui entraîne son élévation et accroît ainsi le risque de cardiopathie et d'AVC[121].

On peut profiter des bienfaits de l'activité physique à tout âge. Les enfants réussissent mieux à l'école quand ils sont physiquement actifs[122]; de plus, les gens qui sont inactifs pendant l'enfance le demeurent bien souvent en vieillissant. À l'autre extrémité de l'échelle de l'âge, une étude publiée en 2012 dans la revue *Neurology* a montré que l'activité physique chez les septuagénaires contribuait à réduire le risque d'atrophie cérébrale et à accroître l'intégrité de la substance blanche de leur cerveau au cours des trois années subséquentes[123].

De 1971 à 2009, le D^r De Fina et ses collègues ont étudié 19 458 adultes dans le but de dégager des corrélations entre la forme physique et l'incidence de la démence. Ils en ont conclu que la bonne forme physique dans la cinquantaine était associée à un risque plus faible de souffrir de démence[124]. Ainsi, l'activité physique freine le rétrécissement (l'atrophie) du cerveau, lequel est associé à des troubles cognitifs et est plus répandu chez les personnes souffrant de démence. Les bienfaits de l'exercice se transmettent même à notre progéniture; en effet, les parents en santé transmettent à leurs enfants un ADN en santé[125].

Dans une étude tout juste publiée dans la revue *Frontiers in Aging Neuroscience*, des chercheurs ont mesuré l'apport de sang au cerveau et la capacité à raisonner des participants 12 semaines après qu'ils eurent commencé à faire du vélo stationnaire ou à utiliser le tapis roulant à raison de 1 heure, 3 fois par semaine. Ils ont montré que la capacité à raisonner et l'apport en sang au cerveau s'étaient améliorés au cours de ces 3 mois de même que la forme cardiovasculaire des participants[126]. Dans une autre étude récente publiée dans la revue *Journal of Alzheimer's Disease*, des chercheurs ayant examiné l'imagerie cérébrale de personnes âgées de 60 à 88 ans ont confirmé que le volume du cerveau, y compris celui de l'hippocampe, s'était accru à l'issue du programme d'exercice de 12 semaines. L'activité consistait en une séance de 20 minutes par jour d'exercice modéré assez poussé pour que les participants transpirent, mais pas au point de les empêcher d'avoir une conversation à la fin de la séance, c'est-à-dire qu'ils n'étaient que modérément essoufflés[127]. Chose importante, les bienfaits ne se limitaient pas aux individus normaux, mais ils étaient également visibles chez ceux qui souffraient d'un trouble léger de la cognition.

Le fait que l'exercice permette d'améliorer la fonction cognitive des gens chez qui elle est atteinte a récemment été confirmé par le Dr Liu-Ambrose et ses collègues de Vancouver, qui ont prouvé que, au bout de 6 mois de marche d'intensité modérée, à raison de 60 minutes, 3 fois par semaine, la fonction cognitive des individus souffrant de troubles légers de cognition et ayant fait des AVC furtifs s'était améliorée[128].

Avant que je commence à tenir mes connaissances médicales à jour sur les bienfaits de l'exercice, je croyais qu'il fallait plus que quelques mois pour que le cerveau en tire parti, mais les données concordent pour montrer qu'il suffit de quelques semaines à peine pour que la structure et la fonction cérébrales s'améliorent. Et bien que nous recommandions 30 minutes d'activité vigoureuse, les résultats d'une étude plus récente indiquent qu'une séance quotidienne de 20 minutes de course contribue à diminuer le risque de démence de 25 %, tandis que, dans le cas d'une séance de 27 minutes, le risque baisse de 40 %[129].

Je conseille donc de faire de 20 à 30 minutes par jour d'une activité physique modérée. Votre cerveau vous en remerciera en améliorant votre mémoire et vos autres fonctions cognitives. À compter d'aujourd'hui, engagez-vous à bouger 20 minutes par jour en y mettant suffisamment de vigueur pour manquer légèrement de souffle. Je prédis que vous apprécierez tellement l'activité qu'elle deviendra pour vous une seconde nature plutôt qu'une corvée que vous vous imposez.

CERTAINS EXERCICES SONT-ILS MEILLEURS QUE D'AUTRES POUR LE CERVEAU ?

Bien des gens limitent leur activité physique à la course ou à l'aérobie. « Au cours des dernières années, bien des gens ont acquis la certitude que l'aérobie était le genre d'exercice le plus utile pour combattre la démence », explique le Dr Teresa Liu-Ambrose de l'Université de la Colombie-Britannique. «Pour notre part, nous pensions que les autres catégories d'exercices étaient également utiles, mais peu de gens étaient de cet avis. » Elle a donc apporté les preuves scientifiques nécessaires pour convaincre les sceptiques, parmi les chercheurs, les décideurs et les personnes âgées, des mérites de la musculation – l'haltérophilie, par exemple – dans la protection des facultés cognitives.

Dans une étude menée en 2010, elle a prouvé que 1 ou 2 séances par semaine de musculation progressive (travail en résistance) durant une période de 12 mois amélioraient mieux les aptitudes cognitives chez les femmes âgées qu'un même volume d'exercices d'équilibre et de tonicité[130]. Cependant, les personnes âgées hésitent souvent à lever des poids. «Elles craignent les fractures et les entorses, explique le Dr Liu-Ambrose mais, comme pour toute chose, la musculation est sans danger si on suit les conseils prodigués par les experts. Comme les aînés n'ont pas tous la mobilité requise pour faire de l'aérobie ou marcher durant de longues périodes, la musculation présente un intérêt particulier. Plus on a de catégories d'exercices à proposer, mieux c'est. » En travaillant de concert avec une entreprise de communication afin de faire valoir les bienfaits de la musculation, elle a, avec son équipe, mis au point et expérimenté deux vidéos, qui ont été affichées sur YouTube et distribuées aux professionnels de la santé ainsi qu'à des groupes du troisième âge. Des demandes de reproduction de ces vidéos dans d'autres langues ont afflué d'un peu partout dans le monde.

Les effets bénéfiques de l'activité physique sur les fonctions du cerveau semblent différer selon les catégories d'exercices. Ainsi, l'haltérophilie ou la musculation en résistance à l'aide de poids semblent améliorer la mémoire associative, c'est-à-dire celle qui, entre autres choses, vous permet de vous rappeler le nom des convives avec qui vous avez mangé au restaurant, tandis que les exercices cardiovasculaires tels que la marche rapide ou la course semblent plutôt améliorer la mémoire verbale[131].

Par conséquent, pour assurer à son cerveau une santé robuste, on devrait incorporer dans ses séances d'exercice à la fois de l'activité aérobie et de la musculation, chacune de ces formes visant des aspects différents de la cognition. Nous disposons aussi de preuves voulant que, en conjuguant les deux formes au cours d'une même séance, les effets sur la force musculaire et sur les molécules qui sont libérées s'additionnent. Chose importante, l'exercice ne fait pas que ralentir le déclin de la fonction cérébrale ; il peut également améliorer celle-ci. Il n'est donc jamais trop tard pour devenir physiquement plus actif.

L'EXERCICE PROFITE À LA SANTÉ MENTALE TOUT COMME AU CERVEAU ET AU CORPS

L'activité physique est bonne pour la santé à d'autres égards. J'ai déjà mentionné qu'elle contribuait à faire baisser la glycémie et à réduire le risque de souffrir de diabète. Elle prévient également l'affaiblissement du système immunitaire qui accompagne le vieillissement, de sorte que l'on résiste mieux aux infections[132]. La musculation contribue à augmenter la masse corporelle maigre (les muscles), tandis que les exercices cardiovasculaires permettent de corriger le taux de lipides (gras) dans le sang. Ainsi conjugués, ils contribuent à faire baisser les risques de souffrir de diabète et de cardiopathie, et de subir un AVC[133]. En outre, l'exercice réduit les tiraillements d'estomac et contribue à calmer l'appétit, chose très utile dans la lutte contre le surpoids.

En plus de tous ces bienfaits potentiels, la plupart des gens affirment que l'activité physique est euphorisante. Certains voient même le jogging comme la pilule du bonheur. Au contraire, le sédentarisme est associé à une faible estime de soi et à une faible sociabilité[134]. Simon Whitfield, un triathlète canadien champion olympique, rapportait récemment qu'il s'était retiré du sport olympique en 2013 après avoir compris qu'il n'avait plus le feu sacré ni le désir obsessionnel de compétitionner[135]. Il a ensuite relaté les conséquences de son mode de vie sédentaire : « J'ai passé l'été sans suivre de programme d'entraînement et j'ai abandonné ma routine. Je me suis éloigné graduellement de mon programme quotidien de mise en forme. À la fin de l'été, j'étais d'humeur sombre, mon sommeil était irrégulier et ma santé mentale – le bonheur et la joie dont on a besoin pour prospérer – n'était pas au mieux. Je savais que je devais faire quelque chose... » Finalement, rapporte-t-il, il s'est initié à la planche à rame (mieux connu sous son nom anglais *stand up paddle boarding*). Sa conclusion ? L'activité physique est la clé d'un esprit en paix.

Comparez cela à ce que j'ai observé lors d'une visite récente à une résidence pour personnes âgées, où toutes se déplaçaient en fauteuil roulant. Quand j'ai demandé pourquoi, on m'a répondu qu'on exigeait des pensionnaires qu'ils se déplacent uniquement en fauteuil roulant afin de prévenir les chutes et le risque associé de fracture à la hanche ou ailleurs. Quelle honte ! Dans le but de protéger leurs os, on détruisait leur esprit.

> **Si vous souhaitez approfondir la question, poursuivez votre lecture. Sinon, allez à la prochaine règle, à la page 147.**

Je n'ai pas le temps de faire de l'exercice. Que me suggérez-vous ?

Il faut presque une détermination surhumaine pour décider de faire de l'exercice à la pause du midi. La plupart des gens n'ont ni le temps ni la volonté d'en faire à des heures précises. L'inscription dans un centre de conditionnement physique et l'assiduité requise dans ce cas demandent également de la détermination, laquelle nous abandonne souvent à la fin d'une grosse journée de travail, la fatigue aidant. Les gens sont généralement bien intentionnés au début, mais plusieurs d'entre eux perdent rapidement intérêt et motivation. D'autres font de l'exercice dans le but de perdre des kilos, mais consomment ensuite des aliments très caloriques en espérant que l'exercice seul va leur permettre de surveiller leur poids. Le programme d'exercices constitue donc une solution gagnante, mais contraignante. Il serait de loin préférable d'intégrer dans son quotidien des activités physiques que l'on trouve agréables.

Comment donc mener une vie plus active tout en gagnant du temps ? Vous serez certainement heureux d'apprendre qu'il n'est pas nécessaire de se surmener en faisant du jogging ou en courant le marathon pour tirer des bienfaits de l'exercice. Les *Physical Activity Guidelines for Americans* de 2008 recommandaient de faire au moins 150 minutes d'exercice d'intensité modérée ou 75 minutes d'intensité vigoureuse chaque semaine pour en tirer des bienfaits substantiels. Donc, comme je le mentionnais précédemment, vous devriez faire au minimum 20 minutes par jour d'activité suffisamment intense pour vous faire transpirer ou vous essouffler légèrement. Pensez-vous pouvoir consacrer 2 fois 10 minutes par jour à protéger votre cerveau des ravages du temps ? Si vous étiez jusque-là sédentaire, commencez doucement en augmentant graduellement l'intensité de vos exercices.

On a bien tenté de préciser avec plus de finesse ces données mais, pour l'heure, on peut affirmer qu'un programme modeste de 2 séances de 10 minutes d'activité par jour se révèle sans danger et efficace. Dans certains centres de mise en forme, on a réduit ce temps à 7 minutes d'entraînement intense en s'appuyant sur le fait que l'intensité compte autant que la durée.

En 2006, le Dr Martin Gibala et ses collègues publiaient un article, devenu fort populaire depuis, dans lequel ils montraient qu'une séquence de 3 minutes sur un vélo stationnaire – 30 secondes de pédalage exténuant suivies d'une pause brève, cela répété 5 ou 6 fois – donnait les mêmes résultats vasculaires qu'une séance de vélo de 90 minutes[136].

Dans une autre étude, les chercheurs ont découvert que des marches rapides de 3 minutes répétées durant la journée contribuaient à réduire la pression artérielle autant qu'une séance unique de 30 minutes et qu'elles protégeaient mieux contre les pics de pression artérielle[137]. De même, des chercheurs chinois ont montré, dans une étude présentée en mai 2013 à l'assemblée annuelle de l'American College of Sports Medicine et dans laquelle on avait comparé la rigidité artérielle après 1 séance de 30 minutes de vélo stationnaire à celle suivant 2 séances de 15 minutes, que la détente artérielle durait plus longtemps à l'issue de la deuxième séance de 15 minutes.

Bref, comme on peut le voir, quel que soit ce que les scientifiques mesurent, les courtes périodes d'activité physique – de 20 à 30 minutes par jour, réparties en quelques séances – permettent d'améliorer l'utilisation de l'énergie par l'organisme, de même que la santé mentale et cognitive.

Quand je conseille des patients sur les bienfaits de la marche, certains me demandent parfois si la promenade du chien suffit. Ma réponse est la suivante : « Quand vous promenez votre chien, vous êtes loin du frigo et du canapé, ce qui est utile. Dehors, le décor change et, espérons-le, vous respirez de l'air frais et appréciez la nature. Vous pourriez même rencontrer un voisin et entamer la conversation avec lui. Tout cela est très bon pour vous. Cependant, des chercheurs ont fait la preuve que, sur une période de 6 semaines, une promenade lente de 30 minutes n'exerçait aucun effet sur la pression artérielle. Par conséquent, si vous désirez maximiser les effets sur votre corps et votre esprit de la marche avec votre chien, faites en sorte de vous essouffler un peu. C'est le signal dont a besoin le corps pour indiquer aux vaisseaux sanguins qui alimentent les muscles, les poumons et le cœur de se détendre, pour faire baisser la pression, pour mobiliser les cellules souches du cerveau et pour réduire l'inflammation sanguine. Reconnaissons que c'est là un très bon rendement pour un si petit investissement en temps. Alors, pour répondre à la question, peut-être devriez-vous faire du jogging avec votre chien. »

En outre, pourquoi ne pas tirer parti de toutes les occasions d'être physiquement actif ? Essayez diverses activités et intégrez celles que vous préférez dans votre emploi du temps quotidien, plutôt que de réserver un moment précis dans votre horaire pour l'exercice. Voici quelques exemples.

- Évitez les escaliers roulants et les ascenseurs. Prenez plutôt les escaliers dans les deux directions chaque fois que vous avez moins de cinq étages à monter ou à descendre.
- Garez votre voiture loin de l'entrée du centre commercial et marchez rapidement ou, mieux encore, faites du jogging pour vous y rendre.
- Si vous comptez prendre une tasse de café ou manger à la cafétéria, allez-y en courant à un rythme juste assez rapide pour vous essouffler.
- Si vous êtes un employé de bureau, voyez s'il est possible de vous entraîner au travail, par exemple à l'aide d'un bureau-tapis

roulant ou d'un bureau-vélo. Si vous optez pour cette solution, commencez par de courtes séances que vous allongerez graduellement.

- Les experts britanniques recommandent désormais de se tenir debout au moins deux heures par jour. Quand le téléphone sonne, levez-vous, puis répondez. Mieux encore, considérez la possibilité d'acquérir un bureau vous permettant de travailler debout. Si vous le faites durant deux heures, vous respectez les recommandations des experts.

- Faites quelques accroupissements (*squats*) en vous brossant les dents, en passant le fil dentaire, en vous rasant, en brossant vos cheveux ou en prenant une douche. Fléchissez les genoux comme si vous deviez vous asseoir, puis gardez cette position jusqu'à ce que vous éprouviez de la fatigue. Prenez une pause, puis répétez. L'exercice renforcera les muscles de votre ceinture abdominale, de vos cuisses et de vos genoux. Voilà un exercice de musculation entièrement gratuit, qui ne vous demandera pas de réserver du temps pour l'effectuer.

- Marchez! La marche est une manière fabuleuse de garder la forme. Toutefois, pour que vous puissiez en tirer des bienfaits, elle doit être assez vigoureuse pour vous essouffler légèrement. En plus de ne rien coûter, elle peut se faire en tout temps et vous pouvez en varier la durée et l'intensité de manière à l'intégrer dans votre emploi du temps. Les résultats d'études récentes ont montré en outre que la marche en pleine nature constituait un bon antidote contre les pensées négatives qui envahissent l'esprit à l'occasion. Si vous vivez dans une région froide et que vous craignez de glisser sur la glace et de faire une chute, marchez dans la maison ou dans un centre commercial durant l'hiver.

Dans un article publié le 6 janvier 2014 dans le quotidien canadien *The Globe and Mail*, le Dr Mike Evans de l'hôpital St. Michael de Toronto donnait son meilleur conseil de l'année : « Un nouveau médicament extrêmement cher vient de sortir. Il fait baisser les risques de cardiopathie de 60 %, de cancer de 27 %, de la maladie d'Alzheimer de 50 % et d'arthrite de 47 %. C'est désormais notre meilleur traitement contre la fatigue et la douleur lombaire. Il soulage l'anxiété et la dépression dans 48 % des cas et il peut même permettre de perdre du poids. Bon, d'accord, ce n'est pas une pilule. C'est la marche. »

En plus des conseils donnés plus haut sur la manière de mener une vie plus active, je suis convaincu que vous trouverez des moyens additionnels d'intégrer l'activité physique dans vos journées. Pour éviter l'ennui, variez vos activités, dans la mesure où vous les appréciez et n'avez pas le sentiment qu'elles vous sont imposées ; marchez une journée, faites du vélo le lendemain et du jogging le surlendemain, tout en intégrant dans votre quotidien certaines des suggestions données précédemment. Sachez en outre que, indépendamment du fait que vous fassiez de l'exercice régulièrement ou pas, si vous restez physiquement actif durant la journée, votre risque de souffrir un jour d'une maladie cardiovasculaire diminuera presque de 30 % par rapport à celui de votre voisin inactif.

Pour terminer cette section, je répondrai à la question que vous hésiteriez peut-être à poser : l'activité sexuelle est-elle considérée comme un exercice cardiovasculaire ? Eh bien, oui. L'homme brûle en moyenne 100 calories durant les rapports sexuels et la femme, 70. Cela correspond à 11 minutes de jogging sur le tapis roulant pour les hommes et à presque 10 pour les femmes. Satisfait ?

Combien de temps faudra-t-il pour que ces gestes deviennent des habitudes ?

Chaque fois que l'on entreprend quelque chose de nouveau, par exemple quand on passe par un nouveau chemin pour se rendre au travail, que l'on diminue sa consommation de sel ou que l'on décide de marcher durant la pause du midi, il faut accepter d'y mettre le temps ; cela ne devient pas une habitude du jour au lendemain. Voilà pourquoi tant de bonnes résolutions s'évaporent après le jour de l'An. Des chercheurs ont étudié la question et ont découvert qu'il faut environ de cinq à six semaines avant que les changements ne deviennent des habitudes. On ne sait pas au juste pourquoi il en est ainsi. Toutefois, dans le cas précis de la diminution de l'apport en sel, on sait que les papilles gustatives s'ajustent graduellement au changement de saveur ;

au bout de cinq à six semaines d'un régime pauvre en sel, les plats préparés par d'autres paraissent extrêmement salés.

Il importe donc d'être persévérant quand on entreprend un nouveau programme d'exercice, que l'on arrête de fumer ou que l'on adopte une alimentation plus saine. Il faut s'y tenir jusqu'à ce que le cerveau cesse de croire qu'il s'agit d'une nouvelle activité. C'est alors que celle-ci devient une seconde nature. Bref, il vous suffit de persévérer de cinq à six semaines dans les saines activités que je vous encourage à adopter dans ce livre pour qu'elles deviennent des habitudes.

S'il est vrai que la persévérance compte pour beaucoup, il n'en reste pas moins que, pour adopter une nouvelle façon de faire, il faut être honnête avec soi-même et se fixer un but réaliste. Ne placez pas la barre trop haut au départ. Félicitez-vous quand vous avez atteint votre objectif, puis montez furtivement la barre d'un cran. Si, dans votre for intérieur, vous croyez être incapable de faire 20 minutes d'activité physique par jour, faites-en d'abord durant 10 minutes. Si vous n'êtes pas du genre à vous lever tôt, ne planifiez pas d'aller au centre de conditionnement physique à 5 h 30. Si vous souhaitez sérieusement prendre l'habitude d'être plus actif, planifiez l'activité et le moment pour la faire de manière à l'apprécier au mieux.

Qu'arrive-t-il si je conjugue exercice, alimentation saine et surveillance de mon poids ?

Si vous conjuguez trois facteurs qui agissent en synergie pour réguler votre pression artérielle, votre cerveau vous remerciera à profusion et vous gratifiera d'une excellente mémoire.

En fait, des chercheurs américains ont déjà étudié cette question[138]. Ils ont convaincu 124 personnes hypertendues, sédentaires et en surpoids d'adopter simultanément trois mesures correctives : suivre le régime alimentaire DASH, faire de l'exercice et diminuer leur apport calorique. Puis, ils ont comparé les fonctions cognitives des participants de ce groupe à celles des membres d'un autre groupe qui n'avaient pas modifié leur alimentation ni leur mode de vie. Chez les participants du premier groupe, les fonctions exécutives de la mémoire se sont améliorées comparativement à celles des membres du second groupe.

Dans une étude menée en Finlande et publiée dans la revue *Lancet* en mars 2015, les chercheurs ont poussé la chose plus loin en conjuguant régime alimentaire, exercice, entraînement cognitif et surveillance du risque vasculaire. Ils ont ensuite comparé les résultats des personnes qui ont suivi ces consignes avec ceux de participants qui n'avaient reçu que des conseils de santé généraux. Or, la fonction cognitive s'est améliorée chez les personnes du premier groupe[139]. Pour garder l'esprit vif, il importe donc de bouger et de modifier ses habitudes alimentaires.

Faites-en, mais sans excès

Supposons que vous êtes du genre un peu paresseux. Vous venez de terminer la lecture de cette section et décidez de faire quelque chose pour améliorer la santé de votre cerveau. Très bien. Toutefois, n'allez surtout pas vous lancer dans un marathon ! J'ai dû soigner des patients qui, faute d'avoir tenu compte de leur niveau de forme ou d'endurance, ont subi un AVC ou une crise cardiaque en se lançant trop vigoureusement dans un programme d'exercices exigeant.

Ainsi, un cinquantenaire sédentaire est un jour parti à vélo avec son adolescente sur une piste cyclable. Ils passaient un excellent moment ensemble à renforcer leur lien père-fille quand ils sont arrivés au bas d'une longue pente. Le père a lancé imprudemment à sa fille le défi de concourir jusqu'au sommet. Il a remporté la course, mais quand sa fille l'a rejoint, il souffrait d'un trouble soudain de l'élocution et d'une faiblesse au côté droit par suite d'un AVC. Par conséquent, ne vous mettez pas dans des situations de compétition tant que vous n'avez pas développé vos capacités physiques et ne laissez pas l'orgueil se mettre en travers de votre santé.

Autre avertissement important : ne prenez pas sur votre sommeil le temps requis pour l'activité physique. Ce serait de la folie. Veillez plutôt à dormir suffisamment. Voyez ce que, au besoin, vous pouvez sacrifier d'autre. Vous pouvez aussi explorer les suggestions données plus haut et voir comment il est possible d'intégrer des activités physiques dans votre emploi du temps. Vous pourrez dès lors apprécier les éloges de ceux qui vous féliciteront de votre vivacité d'esprit.

RÈGLE Nº 6

DORMEZ BIEN ET SUFFISAMMENT !

Les exigences de la vie – celles du travail et de la maisonnée – font qu'on manque parfois de sommeil. Dans toute grande ville, l'heure de pointe commence à 5 heures et se termine à 21 heures! Aux États-Unis, le manque de sommeil est tellement répandu que les Centres de contrôle et de prévention des maladies estiment qu'il s'agit d'un problème de santé publique. Nous avons certainement tous connu des gens qui se vantent de n'avoir besoin que de très peu de sommeil pour bien fonctionner. N'y songez pas. Cela ne semble pas s'appliquer au commun des mortels que nous sommes, vous et moi. De plus, nous disposons de preuves solides que les personnes qui se privent de sommeil ne sont pas parfaitement fonctionnelles et que leur capacité à raisonner et leurs facultés cognitives sont déficientes.

Pour que l'esprit et le corps fonctionnent de manière optimale, il est indispensable de dormir bien et suffisamment. Pour la plupart des gens, cela signifie qu'ils doivent dormir profondément environ huit heures. Si votre sommeil est interrompu parce que vous avez besoin d'aller aux toilettes, parce qu'il y a de l'effervescence dans la maison ou parce que vous vivez à proximité d'un aéroport bruyant ou d'une autoroute passante, vous devrez peut-être ajuster ce chiffre à la hausse.

Un médecin aux urgences m'avait adressé une patiente dans le but de s'assurer qu'elle ne souffrait pas d'un trouble associé à l'épilepsie. Cette agréable dame de 52 ans m'a raconté que, au lieu de prendre la sortie de l'autoroute qui devait la conduire à son travail ce matin-là, elle s'était soudainement retrouvée dans la voie de gauche et se dirigeait tout droit vers le fossé. Elle ne se rappelait pas comment elle en était arrivée là. Au travail, elle était tellement perturbée par cet incident qu'elle se mettait à trembler chaque fois qu'elle avait besoin d'écrire. Finalement, elle a décidé d'appeler son mari afin qu'il vienne la chercher, mais elle a eu du mal à se rappeler son numéro de téléphone, ce qui l'a troublée davantage. Son époux est finalement passé la prendre et l'a conduite à la salle des urgences. L'examen neurologique s'est révélé normal. On a procédé à un tomodensitogramme du cerveau, suivi d'un électroencéphalogramme (EEG) afin de vérifier si la patiente avait fait une crise épileptique, puis on me l'a adressée. On lui a dit aussi qu'elle ne devait pas conduire tant que le diagnostic n'était pas posé et on a transmis une note à cet effet aux autorités concernées.

Quand je l'ai rencontrée, elle était très contrariée par le fait que sa vie avait été complètement bouleversée, ce que je pouvais comprendre. Je l'ai examinée et j'ai revu avec elle les résultats du laboratoire et ceux de ses examens, dont le tomodensitogramme et l'EEG. Ses tests cognitifs indiquaient une baisse de sa fonction mémorielle ; elle avait obtenu 24 points sur 30 au test MoCA. Je lui ai alors dit que le tomodensitogramme révélait une atrophie trop prononcée pour quelqu'un de son âge, mais aucun trouble aigu tel qu'un AVC ou une hémorragie. L'EEG, lui, ne montrait aucune activité de crise. Après lui avoir fait part de ces résultats, je l'ai questionnée sur son mode de vie. Ses réponses m'ont abasourdi.

Cette dame allait généralement au lit à minuit parce qu'elle aimait regarder une émission de fin de soirée, se levait à 5 h 30 et quittait la maison à 7 h 30. Elle avait besoin de deux heures le matin pour se préparer, promener le chien et offrir le petit-déjeuner à la famille. En outre, elle m'a confié qu'elle dormait aux côtés de son mari et que le chien partageait leur lit. Comme son mari ronflait, elle dormait de façon intermittente, d'autant plus qu'il se levait deux fois durant la nuit pour aller aux toilettes, réveillant le chien et, en conséquence, elle-même. Cette patiente ne passait donc que cinq heures et demie au lit et son sommeil était interrompu à de multiples reprises.

Embarrassée, la dame a reconnu qu'elle s'était probablement assoupie dans sa voiture ce matin-là. Elle m'a avoué aussi que ses trous de mémoire étaient tels qu'ils affectaient son travail. Quand je lui ai affirmé que le fait de conduire sans avoir assez dormi revenait au même que de le faire en état d'ébriété et pouvait s'avérer fatal, elle en a convenu en pleurant. On ne s'étonnera donc pas que je lui aie fait les recommandations suivantes :

1. Si elle avait besoin de se lever à 5 h 30, elle devait aller au lit à 21 h 30. Si elle y tenait absolument, elle pouvait enregistrer l'émission de fin de soirée et la faire jouer la fin de semaine, mais elle pouvait aussi s'en passer.

2. Il valait mieux qu'elle dorme dans une autre chambre que celle de son mari. Quant à lui, comme il était obèse et ronflait, j'ai suggéré qu'il consulte son médecin au cas où il souffrirait d'apnée du sommeil.

3. Le chien devait dormir dans une autre pièce et surtout pas dans son lit.

Lors de l'examen de suivi, la patiente, qui avait écouté mes conseils, se disait étonnée de voir à quel point son acuité mentale s'était améliorée, de même que sa mémoire et son efficacité au travail. Elle était légèrement embarrassée de m'avouer que ses collègues l'avaient complimentée sur son attitude, beaucoup plus plaisante, disaient-ils, et sur son nouvel optimisme. J'en ai déduit que c'était toute une amélioration par rapport au jugement qu'ils portaient sur elle auparavant.

POURQUOI LE SOMMEIL EST-IL SI IMPORTANT ?

Les résultats d'un nombre croissant d'études confirment l'importance du sommeil pour la santé, tant physique que mentale, et les auteurs en expliquent les raisons. (Après tout, animaux et humains, nous dormons tous. Quand on y songe, tout au long de notre évolution, nous avons toujours été coupés de notre environnement durant notre sommeil, ce qui nous laissait à la merci des animaux sauvages ou d'autres dangers potentiels. Il faut donc en déduire que, si la nature a fait les choses ainsi, c'est que le sommeil est essentiel.)

La principale raison en est que le cerveau est notre organe le plus actif et que, à poids égal, il consomme beaucoup plus d'énergie que tout autre. Or, le sommeil est le moment de la journée où il fait, en quelque sorte, sa mise au point. C'est durant ce temps qu'il évacue les substances toxiques accumulées au cours des activités mentales de la journée[140]. Son système de réparation est alors en fonction et la production de myéline s'accroît, cette substance blanche du cerveau qui permet les communications rapides si importantes pour les fonctions cognitives[141]. Bref, le sommeil contribue à restaurer les fonctions cérébrales.

LES CONSÉQUENCES DE LA PRIVATION DE SOMMEIL SUR L'ESPRIT

Quand on manque de sommeil, on se sent fatigué et on fonctionne au ralenti, ce qui a des conséquences néfastes sur tous les systèmes du corps, particulièrement si la situation persiste. En cas de privation chronique, la pression artérielle s'élève et reste haute, le durcissement des artères s'accélère et le risque d'une atteinte cardiovasculaire, comme la crise cardiaque et l'AVC, s'accroît. Évidemment, le manque de sommeil entraîne aussi une baisse d'énergie, ce qui rend difficile toute activité physique ; par conséquent, à la longue, on se sédentarise. On est également porté non seulement à manger plus, mais à choisir de préférence des aliments plus caloriques et plus gras[142]. Bref, il y a un prix à payer quand on prive son corps de sommeil, quel qu'en soit le degré et quel que soit l'âge que l'on ait. C'est pour cette raison que le Dr Judith Owens, l'auteur principal d'une politique émise par l'American Academy of Pediatrics, met l'accent sur l'importance du sommeil pour les enfants et les adolescents, et souligne les conséquences à court et à long terme de sa privation chronique[143].

L'esprit n'est pas épargné par les conséquences du manque de sommeil, comme le prouvent les résultats de ma patiente au test MoCA. Le cerveau profite du sommeil pour réparer les connexions nerveuses qui ont pu être endommagées durant la journée et pour consolider les apprentissages acquis durant les heures de veille. Il n'est donc pas étonnant de lire dans des articles publiés récemment que le manque de sommeil agit négativement sur les processus mentaux tels que l'apprentissage, la mémoire, le jugement et la résolution de problèmes. Il exerce aussi un effet négatif sur la fonction du lobe frontal, le PDG du cerveau comme je l'ai appelé précédemment, ce lobe qui a la faculté de diriger l'attention vers ce qui est pertinent. L'esprit devient alors confus, de la même manière, selon certains, que chez un alcoolique.

Les études portant sur l'imagerie du cerveau de sujets qui manquent de sommeil de manière chronique confirment ce que le tomodensitogramme de ma patiente montrait, soit une diminution du volume de cet organe plus prononcée que ce à quoi on s'attend chez une personne de cet âge. Un sommeil de mauvaise qualité ou trop court est associé à une atrophie croissante des régions cérébrales responsables de notre jugement et de notre capacité à raisonner et à prendre des décisions sensées[144]. Le Dr June Lo, qui a étudié les effets de la privation de sommeil tant sur la capacité à raisonner que sur la structure du cerveau, a montré qu'elle contribuait à accélérer le rétrécissement de cet organe et entraînait un déclin de la performance cognitive. Les personnes bien reposées maîtrisent plus facilement une nouvelle tâche et sont plus susceptibles de se rappeler ce qu'elles ont appris que les autres[145]. Ainsi, le manque de sommeil entraîne des troubles des fonctions mentales et aggrave les facteurs qui les affectent.

En outre, la privation de sommeil exerce un effet négatif sur la psyché, donc sur l'humeur, une conséquence moins connue mais bien réelle. L'insomnie, par exemple, accroît le risque de dépression. Comme la privation de sommeil et l'insomnie sont parmi les indicateurs les plus importants de la dépression, on peut facilement imaginer le cercle vicieux dans lequel on risque de se trouver. La tristesse est exacerbée quand la personne est au lit mais n'arrive pas à dormir. Le Dr Winsler et ses collègues ont récemment prouvé qu'il suffisait d'une seule heure de sommeil en moins durant la semaine pour que le risque de sombrer dans le désespoir ou la toxicomanie, ou encore de se suicider, augmente[146]. L'inverse est aussi vrai : le fait de bien dormir exerce un effet thérapeutique et peut soulager la dépression. Cette relation bidirectionnelle entre le sommeil et l'état mental a fait l'objet d'études dans lesquelles on a montré que, en soignant l'insomnie chez les sujets déprimés, on augmentait considérablement leurs chances de guérir de leur dépression.

J'AI DU MAL À M'ENDORMIR ET À RESTER ENDORMI. COMMENT CORRIGER CE PROBLÈME ?

Malheureusement, vous n'êtes pas la seule personne dans cette situation. On estime que 1 Canadien sur 3 et 70 millions d'Américains ont du mal à s'endormir, dorment mal quand le sommeil finit par les gagner et vivent dans un état de privation de sommeil jour après jour. Une étude récente a aussi démontré que les Suisses dormaient maintenant en moyenne 38 minutes de moins qu'il y a 28 ans[147]. S'il est vrai que nous avons beaucoup à faire et pas assez de temps pour le faire, ce que l'on sait désormais sur l'importance du sommeil devrait nous convaincre que celui-ci n'est pas un luxe, mais une nécessité absolue. À vous désormais de prendre l'engagement de l'optimiser tant en qualité qu'en quantité. Voici quelques règles qui vous aideront à cet effet :

1. Gardez à l'esprit que vous n'avez pas à regarder les nouvelles ou une émission de fin de soirée. Il est vrai que cela exige de la discipline, mais si vous êtes debout à 7 heures, vous devriez être au lit à 22 heures. Modifiez ces chiffres au besoin en sachant que vous devez compter neuf heures entre le moment où vous vous couchez et celui où vous vous levez, de manière à dormir au moins huit heures. Une fois votre routine établie, tenez-vous-y.

2. Les adolescents ont besoin de plus de sommeil que les adultes ; de plus, leur horloge intérieure retarde par rapport à celle des adultes. Dans certaines juridictions, ce fait est si bien reconnu que l'école commence plus tard, ce qui a entraîné des améliorations substantielles, dont une baisse de l'absentéisme et des comportements agressifs, et de meilleures performances scolaires.

3. Pour s'endormir et rester endormi, l'obscurité et le silence sont nécessaires. Posez des stores qui bloquent la lumière. Quand vous êtes prêt à dormir, éteignez tous les équipements électroniques et les écrans dans la pièce. Ce courriel que vous recevez en plein milieu de la nuit peut très bien attendre le matin. En cas d'urgence, on vous appellera au téléphone ; vous pouvez aussi régler votre appareil pour ne recevoir que des appels téléphoniques.
   Dans une étude australienne récente, plus de 70 % des adolescents ont rapporté qu'ils gardaient dans leur chambre deux appareils électroniques ou plus. Un grand pourcentage d'entre eux ont dit se servir durant la nuit de leur cellulaire ou de leur ordinateur, ou regarder la télé[148]. Dans un autre article, des

chercheurs ont rapporté que les adolescents envoyaient de nombreux messages électroniques la nuit après s'être mis au lit. Or, il existe une nette association entre l'emploi de ces appareils la nuit et le retard à se coucher et à se lever, ce qui a des effets négatifs potentiels sur la santé et les résultats scolaires[149].

4. Si vous dormez à côté de quelqu'un qui ronfle, l'un de vous doit changer de chambre. Les bruits forts, y compris ceux émis par un partenaire de lit, une autoroute passante ou des avions atterrissant et décollant, fragmentent le sommeil et augmentent l'agitation physique nocturne, ce qui affecte la qualité du sommeil.

5. Je sais que vous adorez votre animal de compagnie et le considérez comme un membre de la famille mais, je vous en prie, ne le laissez pas dormir dans votre chambre et encore moins dans votre lit. Vous pourrez l'inonder d'amour le matin en vous levant et le soir avant de vous coucher, mais sa présence dans votre chambre perturbera votre sommeil.

6. Ne faites pas de sieste durant le jour. Non pas que les occasions de le faire soient si nombreuses mais, si elles se présentent, ne cédez pas à la tentation, car vous vous priveriez alors d'un sommeil de qualité durant la nuit.

7. Il se peut que vous ayez un peu froid en vous mettant au lit, mais si vous êtes trop couvert, vous risquez d'avoir trop chaud au milieu de la nuit et de vous réveiller en sueur. Veillez à ce que votre chambre reste fraîche et couvrez-vous légèrement. Emprisonnée sous la couverture, la chaleur de votre corps devrait bientôt vous tenir au chaud.

8. Pour prévenir le syndrome des jambes sans repos, qui peut déranger le sommeil, vous pouvez faire un peu d'exercice avant d'aller au lit (par exemple, monter et descendre les escaliers de la maison à deux ou trois reprises). Par contre, si vous en faites

trop, votre corps pourrait être trop tendu pour se relaxer. Déterminez ce qui vous convient et tenez-vous-y.

9. Adoptez un rituel que vous n'accomplirez qu'avant d'aller au lit.
Votre cerveau sera mieux disposé au sommeil si vous suivez toujours ce rituel, selon la même séquence. Peu importe en quoi il
consiste, du moment que vous en adoptez un et vous y tenez
durant six semaines, de sorte que cela devienne une habitude
(c'est la fameuse règle des six semaines pour créer une habitude dont il a été question précédemment). Par exemple : j'enfile
mon pyjama, je brosse mes dents et je passe le fil dentaire, je lave
mon visage, j'enfile mes chaussons, je vérifie que les portes sont
bien verrouillées, puis je vais au lit. La séquence peut comprendre une séance de méditation ou de prière ou la visualisa-
tion d'un endroit ou d'un espace agréable. L'important, c'est de
faire ces choses de manière rituelle, toujours dans le même
ordre, afin de faire savoir au cerveau que c'est l'heure de dormir.

10. Une fois au lit, certains pratiquent la relaxation musculaire progressive : il s'agit de détendre les différentes parties de son corps
en trouvant la position qui leur convient le mieux ; on commence par un pied, puis on passe à l'autre, puis à un genou et
à l'autre, puis à une jambe et à l'autre, etc. N'oubliez pas les
épaules et le cou dans ce rituel de relaxation, lequel, s'il est
répété tous les jours, signalera au cerveau qu'il est temps de
dormir.

11. Ne prenez pas de café passé 16 heures. De plus, méfiez-vous des
médicaments en vente libre destinés à soigner un rhume ou une
infection, car ils peuvent contenir de la caféine et d'autres substances stimulantes. Il importe de rester conscient de ce que l'on
ingère.

12. Résistez à tout prix à la tentation de prendre des somnifères.
Non seulement ces médicaments créent-ils une dépendance,

mais on a prouvé qu'ils portaient atteinte à la fonction mémorielle et qu'ils étaient associés à une baisse des fonctions cognitives. Certains croient que la prise de 3 grammes de mélatonine au moment d'aller au lit les aidera à dormir, mais cette substance crée aussi une dépendance et, à long terme, n'est pas tellement utile, compte tenu de ses effets secondaires indésirables potentiels.

13. Si vous mangez tard, prenez un repas léger et limitez votre consommation d'alcool. Quand on s'apprête à se coucher, on ne devrait pas boire plus d'un verre de vin.

14. Si vous vous endormez en regardant la télé, réveillez-vous, levez-vous et allez au lit. Un patient m'a confié qu'il ne regardait le bulletin de nouvelles qu'après avoir brossé ses dents, passé le fil dentaire et enfilé son pyjama. Ainsi, s'il s'endort devant la télé, il peut se glisser aussitôt sous les couvertures. Ce n'est pas ce qu'il y a de mieux, mais je suppose que c'est le rituel qu'il a mis au point pour s'endormir.

Ces bonnes habitudes forment le cœur de la psychothérapie cognitivo-comportementale visant à induire le sommeil. Cette approche thérapeutique s'est révélée utile auprès des personnes qui souffrent d'insomnie chronique, mais elle nécessite de consulter un psychologue spécialisé.

RECONNAÎTRE L'APNÉE DU SOMMEIL ET LA TRAITER

On sait désormais que l'apnée du sommeil est un obstacle majeur au bon fonctionnement de la mémoire et des facultés cognitives. Il est donc très important de la dépister, le cas échéant, et de la traiter rapidement.

Les gens qui en souffrent ronflent généralement la nuit. Leur partenaire, s'ils en ont un, remarquera probablement que leurs ronflements s'interrompent, qu'ils retiennent leur respiration quelques secondes, puis prennent une respiration profonde et recommencent à ronfler. Souvent, dans cet intervalle, ils changent de position, ce qui signifie que leur sommeil s'est allégé et qu'ils se sont probablement réveillés, mais ils pourraient ne pas se le rappeler plus tard. Néanmoins, ces personnes se réveillent plusieurs fois durant la nuit et ont donc un très mauvais sommeil. Pour confirmer l'existence de l'apnée du sommeil, on garde la personne une nuit à l'hôpital ou dans un centre spécialisé afin de l'observer et de prendre diverses mesures associées à la qualité du sommeil.

Les gens qui souffrent de ce trouble se réveillent peu reposés le matin. Ils sont fatigués, irritables, somnolents et peuvent même s'assoupir durant une réunion ou à leur bureau. Il a été question précédemment de la gloutonnerie du cerveau en matière d'énergie. Or, durant le sommeil, cet organe travaille dur et a besoin d'être constamment alimenté en sang enrichi d'oxygène. Voilà pourquoi, tandis qu'on dort, on continue à respirer et que le cœur continue à faire circuler le sang. Les personnes atteintes d'apnée du sommeil privent leur cerveau d'énergie quand elles cessent à répétition de respirer au cours de la nuit.

Chez certains, l'arrêt de la respiration qui accompagne l'apnée du sommeil coïncide avec la phase de sommeil dite « paradoxale » durant laquelle une grande partie de la consolidation de la mémoire se produit. D'où le fait que, dans de nombreux rapports, on a conclu que les personnes souffrant d'apnée du sommeil présentaient des déficits cognitifs importants, dont la démence. Certaines structures de leur cerveau, par exemple le système limbique et d'autres éléments importants pour la mémoire, diminuent en taille. À la longue, ils souffrent de troubles associés à la cognition, à la mémoire, au jugement et à la prise de décision, ce que confirme l'étude que le Dr Andrew Lim a publiée en 2013 dans la revue *Sleep* et qui montrait que le sommeil fragmenté était associé à un risque plus élevé de souffrir de démence[150].

Comme l'apnée du sommeil constitue également un facteur de risque de l'hypertension et du diabète, il n'est pas étonnant qu'elle accroisse l'incidence de l'AVC et de la démence. Le sommeil de piètre qualité et de courte durée est associé à l'apparition de micro-infarctus dans le cerveau[151].

L'apnée du sommeil est plus répandue chez les obèses, les fumeurs et les grands buveurs. Par conséquent, pour la soigner, on doit commencer par agir sur ces facteurs contributifs. On peut aussi la traiter, chose que la personne devrait faire si elle veut préserver sa mémoire à court terme, et éviter les AVC et la démence à long terme. Le traitement porte le nom de CPAP (acronyme de *Continuous Positive Airway Pressure*; en français: ventilation spontanée en pression positive continue). Il consiste à porter un masque où passe de l'air et qui, de par la légère pression qu'il exerce, empêche les voies respiratoires de se fermer. Ainsi, l'individu ne risque pas de manquer d'oxygène, comme c'est le cas dans l'apnée du sommeil. Plusieurs de mes patients ayant opté pour cette solution m'ont confié qu'ils avaient amélioré nettement leur bien-être. Ils se sentent plus vivants, plus légers et ont l'esprit plus vif. Ce traitement peut avoir pour effet de retarder de 10 ans l'apparition des troubles cognitifs et des symptômes de démence. C'est la conclusion d'une étude menée par le Dr Osorio de New York auprès de 2 470 personnes et publiée en 2015 dans la revue *Neurology*[152].

Bref, le sommeil adéquat et de qualité n'est pas un luxe. Il est essentiel au bon fonctionnement de notre corps et de notre esprit.

Si vous souhaitez approfondir la question, poursuivez votre lecture. Sinon, allez à la prochaine règle, à la page 161.

Les stades du sommeil

Quand on dort, le cerveau traverse des stades qui ont été bien définis et décrits. Eh oui, tandis que vous dormez, inconscient de ce qui se passe dans le monde, votre cerveau travaille dur tout en passant par une série de stades prédéterminés. S'il importe d'en parler c'est que, en cas d'interruption du sommeil, les conséquences sur les fonctions cognitives dépendront du stade que cet organe traversait au moment du réveil.

Vous avez probablement remarqué que, quand vous venez tout juste de vous endormir, vous vous réveillez facilement si, par exemple, le téléphone sonne. C'est que vous êtes au premier stade de votre cycle de sommeil, qui se caractérise par l'immobilité des yeux. Il ne dure que quelques minutes et est suivi du stade 2 du sommeil non paradoxal. À ce moment-là, la température corporelle baisse et, si on n'est pas suffisamment couvert, on peut avoir froid. Le stade 3 est celui du sommeil profond, qui se caractérise par l'absence de rêves. À ce stade, on n'entendra pas le téléphone sonner, le cerveau étant trop occupé à se débarrasser des détritus chimiques qu'il a accumulés durant la journée.

Ces trois stades du sommeil non paradoxal durent environ une heure et demie et sont suivis du premier cycle de sommeil paradoxal, qui est relativement court. Durant cette phase du sommeil, nous rêvons et nos yeux se promènent rapidement. Toute la séquence se répète ensuite, mais à chaque répétition, les stades du sommeil non paradoxal raccourcissent et celui du sommeil paradoxal rallonge. Durant la nuit, si on devait compter le temps consacré à ces stades, on en conclurait probablement que, chez l'adulte, le sommeil paradoxal occupe environ le quart de la nuit et les stades de sommeil non paradoxal, les trois quarts. Chez l'enfant, le sommeil paradoxal peut occuper jusqu'à 50 % du temps de sommeil.

Si vous avez bien dormi la nuit dernière, votre hypnogramme (description des cycles du sommeil durant la nuit et leur durée) ressemblera probablement à celui illustré à la figure 6.1[153].

Les résultats de diverses études confirment que, durant le sommeil, nous traitons divers événements de notre existence et consolidons les souvenirs récemment acquis, les transformant en souvenirs à long terme. Jusqu'à présent, on n'a pas établi avec certitude si certains stades sont plus importants pour certains types de souvenirs que d'autres, mais une analyse récente des articles portant sur cette question ne laisse aucun doute quant au rôle crucial que le sommeil joue sur la consolidation de la mémoire[154]. Par conséquent, si vous ne dormez pas suffisamment ou si votre sommeil est interrompu, votre mémoire s'affaiblira et vos autres fonctions cognitives seront également touchées. Votre sommeil (tant sa qualité que sa durée) devrait donc constituer votre première priorité pour préserver pleinement votre réserve cognitive.

FIGURE 6.1 HYPNOGRAMME

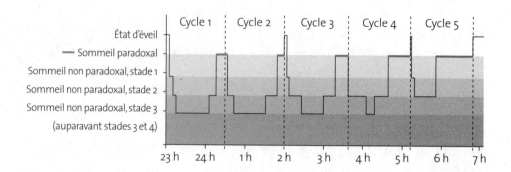

Cet hypnogramme a été mis au point par Luke Mastin. On peut voir comment le sommeil évolue au cours de la nuit. Plus longtemps nous dormons, plus le stade du sommeil paradoxal s'allonge dans le temps. Ainsi, si vous manquez le dernier cycle parce que vous ne dormez pas huit heures, vous interrompez celui qui est le plus long de la nuit. Vous pourriez alors avoir du mal à vous souvenir d'événements passés. Vous aurez aussi l'impression d'être sonné et légèrement confus. Si cela se reproduit nuit après nuit, il en résultera des troubles cognitifs et de la démence.

RÈGLE N° 7

NOUEZ DES RELATIONS ET RENDEZ-VOUS UTILE

Nous sommes programmés pour avoir des interactions sociales et entretenir des liens affectifs avec autrui. Un de mes collègues de Montréal avait l'habitude de dire que les humains ne s'épanouissent que quand ils sont suffisamment proches de ceux qui comptent pour eux : assez proches émotionnellement pour connaître leurs vulnérabilités et assez proches physiquement pour humer leur parfum. Notre santé mentale est au mieux quand nous optimisons nos interactions positives et limitons celles qui nous frustrent et nous attristent.

Mais nous vivons dans un monde où chacun ne cherche généralement qu'à s'occuper de ses affaires et à maximiser sa capacité à acquérir des biens, bref à agir de manière essentiellement égocentrique. Il semble parfois que la seule chose à faire est de tenir le coup dans tout ça ! Il est donc souvent difficile d'entretenir des relations qui ont du sens. Mais comme ces interactions sont primordiales à notre bien-être sur les plans cognitif et émotionnel, il revient à chacun de nous de déployer des efforts pour les susciter.

Voilà qui fournit la toile de fond de la dernière des règles ayant pour but de nous aider à préserver nos fonctions cognitives et à nous protéger de la démence. Nous avons tous désespérément besoin de nous sentir proches de quelqu'un, de ressentir une véritable chaleur humaine. Le fait d'avoir des tonnes d'amis sur Facebook n'offre pas une garantie contre l'isolement. À mon sens, ce qui compte, c'est le contact émotionnel qu'on a avec les autres, particulièrement avec les personnes qui font partie de notre entourage physique.

SOMMES-NOUS DONC SI ISOLÉS ?

Les statistiques portant sur la prévalence de la solitude dans notre société sont vraiment troublantes. Elles indiquent que beaucoup d'entre nous souffrent d'isolement. Si vous vous sentez seul, vous n'êtes pas la seule personne dans cette situation… Aux États-Unis, en 2012, 27 % des ménages ne comptaient en fait qu'une personne. Le Dr John Cacioppo, directeur du Center for Cognitive and Social Neurosciences de l'Université de Chicago, estime que 40 % des Américains souffrent de solitude[155]. Une enquête de Statistique Canada menée en 2012 rapportait que 20 % des personnes âgées au pays disaient se sentir isolées[156]. C'est pire encore pour nos jeunes : sur une période de 12 mois, les deux tiers des étudiants universitaires ont rapporté se sentir très esseulés. À Vancouver, une enquête menée par une organisation caritative indique que le tiers des jeunes âgés de 25 à 34 ans se sentaient plus seuls qu'ils ne l'auraient souhaité[157]. Dans un article intitulé *Le fléau de la solitude s'empare des Français*, Marie Herbet indiquait, en 2010, que 4 millions de Français déclaraient se sentir seuls. Un tiers des moins de 25 ans et 28 % des gens âgés se disent touchés par la solitude[158].

Ces chiffres correspondent en gros au double de ce qu'ils étaient il y a 30 ans.

LES CAUSES DE L'ISOLEMENT SOCIAL

La proximité émotionnelle est un élément clé de notre santé cognitive. Mais quels sont donc les facteurs qui nuisent à l'établissement des liens affectifs ?

Les besoins économiques

La plupart des gens sont préoccupés par la nécessité ressentie de maximiser leur bien-être individuel, ce qui les amène souvent à se désintéresser des autres. Pour réussir financièrement, nous acceptons de nombreux bouleversements – temps perdu à circuler aux heures de pointe, absences fréquentes de la maison, manque de sommeil – qui limitent le temps que nous pouvons consacrer à autrui. Selon les résultats d'une enquête récente menée par le quotidien canadien *The Globe and Mail*, 60 % des 7 300 personnes sondées ont rapporté se sentir stressées et être incapables de faire face aux pressions du travail et de la vie privée. Ces personnes étaient plus susceptibles de faire des excès alimentaires, de boire de l'alcool, de jouer aux jeux de hasard et de se montrer moins productives au travail[159].

La dévalorisation de la loyauté

Nous vivons dans une société où la loyauté est de moins en moins le moteur de nos choix et de nos actes. Peu importe la durée de la relation, la rupture est toujours possible et, malheureusement, se produit trop facilement. Que ce soit vis-à-vis d'un partenaire de vie ou d'un employeur, la loyauté a perdu beaucoup de sa valeur et de son importance, et nos relations sont de plus en plus symptomatiques d'une société égocentrique.

La fracture familiale

Dans mon exercice clinique, je vois trop souvent des adultes annoncer soudainement à leur partenaire que leur union ne tient plus. J'ai observé que ces ruptures, aussi amicales soient-elles, marquent les enfants pour le reste de leur existence. Parmi les 4 millions de Français déclarant se sentir seuls, 56 % imputent leur mal-être à une rupture familiale[160].

En gros, les enfants entretiennent le sentiment que, s'ils avaient eu de l'importance, leurs parents n'auraient pas rompu. Ils perdent confiance dans la sécurité de leur environnement émotionnel, voire physique, et se préparent à subir des coups bas émotionnels imprévus et imprévisibles. Ils sont souvent hypervigilants, ce qui peut se traduire par un syndrome d'anxiété et de la dépression. Souvent, ces enfants deviennent égocentriques plus tard et reproduisent alors dans leurs relations l'imprévisibilité émotionnelle qu'ils ont connue plus tôt dans l'existence.

Je reconnais, bien sûr, qu'il existe des relations toxiques qu'il est préférable pour chacun de dissoudre et des situations où les enfants doivent être retirés d'un milieu où les abus sont monnaie courante, mais ces cas sont beaucoup moins nombreux que les ruptures. Chose importante, les résultats de nombreuses études indiquent que les femmes qui ont dû faire face à des événements émotionnellement difficiles tels que le divorce ou le deuil étaient plus susceptibles de souffrir de maladies graves, par exemple de subir une crise cardiaque, et qu'elles étaient aussi plus à risque de souffrir plus tard de démence[161].

La vie en ville, particulièrement en appartement ou en condo

Quarante pour cent des gens qui vivent dans des tours d'habitation se sentent isolés, comparativement à 22 % de ceux qui occupent une maison individuelle, le sens de la communauté et le voisinage étant beaucoup plus limités dans le premier cas.

L'environnement électronique

Un fait nous distingue complètement des générations qui nous ont précédés : l'omniprésence des appareils électroniques et de la télévision. Les conséquences en sont nombreuses. D'abord, parce que, dans la plupart des cas, on reste assis sans bouger lorsqu'on s'en sert. J'ai déjà mentionné dans ce livre que leur utilisation nous condamne trop souvent à une existence sédentaire. Chez l'enfant, le sédentarisme a été associé à un développement plus lent du cerveau, à un manque de confiance en soi et à une faible estime de soi.

Ensuite, comme les interactions idéales avec les parents et les membres de la famille ainsi qu'avec les amis sont physiques et émotionnelles, ceux qui s'en tiennent à des contacts électroniques s'en privent et freinent ainsi tout impact positif résultant de ces interactions. L'abus des appareils électroniques peut en effet avoir des effets pervers : des enfants se sont plaints que leurs parents devaient les trouver ennuyants puisqu'ils étaient sans cesse branchés plutôt que d'interagir avec eux. Dans bien des cas, nous ne sommes en contact avec nos soi-disant amis que par un média électronique.

Bien que le textage ou l'interaction par un autre moyen électronique moderne soient peut-être préférables au silence de l'isolement, ils ne sont pas aussi satisfaisants que le contact face à face avec une autre personne. Les résultats d'une étude récente menée à l'Université du Michigan suggèrent que le recours à Facebook contribue à accroître le sentiment d'isolement[162]. Vos amis de Facebook ne sont pas là pour vous serrer dans leurs bras quand vous êtes triste ni pour vous aider à déplacer un meuble dans la maison. On pourrait penser que les médias sociaux permettent d'accroître les contacts humains mais, en fait, ils amplifient plutôt le sentiment d'isolement, chacun faisant tout un battage à propos des bons moments passés ici ou là, laissant bien des gens isolés sous l'impression qu'ils sont les seuls à ne pas s'amuser.

Enfin, dans certains cas, la navigation sur Internet et le recours aux médias sociaux présentent toutes les caractéristiques d'une dépendance : la personne ressent alors une pression intérieure à se brancher même au prix de son sommeil et, en le faisant, elle a l'impression de « prendre sa dose ».

Une fois énoncés ces facteurs qui entraînent un sentiment croissant d'isolement, il faut reconnaître qu'on a le monde qu'on a. Si, en tant qu'individus et en tant que collectivité, nous ne faisons rien pour retrouver nos réseaux sociaux émotionnellement significatifs, il en résultera les conséquences évoquées plus haut et bien d'autres.

L'EFFET DE L'ISOLEMENT SOCIAL ET DE LA SOLITUDE SUR LA SANTÉ, PHYSIQUE ET COGNITIVE

Les liens sociaux sont essentiels à la santé, et le contact social, particulièrement s'il est agréable, apporte de nombreux bienfaits. Songez-y : qu'arrive-t-il dans votre cerveau quand vous êtes avec quelqu'un que vous aimez ?

D'abord, avant même que cette personne soit devant vous, vous avez probablement anticipé la rencontre et vous en êtes réjoui. Peut-être vous êtes-vous remémoré les bons moments que vous avez passés avec elle. Puis, quand vous l'apercevez, les centres du cerveau spécialisés dans la reconnaissance des traits du visage sont activés et vous l'accueillez en prononçant son prénom, ce qui nécessite d'activer d'autres centres de la mémoire. Quand vous partagez avec elle des souvenirs, que vous recevez des conseils de sa part ou que vous bavardez de divers sujets, il vous faut être alerte, alors vous devez activer vos centres cognitifs et émotionnels.

Si, au cours de la conversation, vous lui serrez la main ou vous tapotez son épaule, ou si vous l'étreignez au début de la rencontre, votre corps libérera des hormones telle l'ocytocine, ce qui aura pour effet de faire baisser votre niveau de stress et votre pression artérielle. Pas étonnant que l'ocytocine soit surnommée « hormone du câlin » ! Donc, la vie sociale et les liens émotionnels avec autrui activent le cerveau de manière positive. De même, les sentiments agréables font chuter le taux des hormones du stress et de l'inflammation immunitaire, ce qui contribue à protéger les vaisseaux sanguins et le cerveau.

Il n'est donc pas étonnant que les résultats de diverses études indiquent que les personnes socialement actives semblent non seulement vivre plus longtemps que les autres, mais aussi être protégées du déclin cognitif en vieillissant. Leur mémoire est meilleure et leur imagerie cérébrale indique qu'elles paraissent beaucoup plus jeunes que leur âge chronologique[163]. Une étude néerlandaise, publiée en 2012 dans le *Journal of Neurology, Neurosurgery and Psychiatry*, a permis de montrer que le sentiment de solitude était associé à une augmentation de 64 % du risque de souffrir de démence[164].

Le sentiment d'isolement a d'autres conséquences qui contribuent à augmenter les risques de souffrir de démence. Si on se sent isolé, on risque de manger davantage. La nourriture devient la seule source de plaisir, sans compter que les personnes seules sont plutôt portées sur les aliments très caloriques, qui favorisent l'obésité. Le sentiment d'isolement accroît également le risque de dépression, favorise l'agressivité envers autrui et élève le risque de suicide. En outre, il contribue à affaiblir le système immunitaire, nous rendant ainsi plus sujets aux infections; il accroît la sensation de fatigue et accélère le durcissement des artères, nous rendant plus susceptibles de subir une crise cardiaque ou un AVC. Il augmente même le risque de souffrir du cancer.

Ainsi, s'il persiste, ce sentiment d'être seul dans un monde qui se fiche de nous entraîne une foule de troubles physiques et émotionnels. Pour ces raisons peut-être, le Dr Julianne Holt-Lunstad a rapporté récemment que, chez les personnes qui se disent isolées socialement et solitaires, le risque de mourir est de 30 % plus élevé que celui des personnes qui n'expriment pas de telles émotions négatives[165].

En termes clairs, le fait de disposer d'un réseau de très bons amis et de membres proches de la famille, et le fait d'interagir avec les gens qui se soucient vraiment de vous contribueront à allonger votre existence, à vous apporter du bonheur et, probablement, à préserver vos fonctions cognitives tout en éloignant le risque que vous souffriez de démence.

COMMENT ÉVITONS-NOUS L'ISOLEMENT SOCIAL ?

Les gens sont prêts à faire beaucoup pour éviter la solitude. Voici quelques exemples de gestes que nous faisons dans le but de ne pas rester seuls.

Nous repoussons la retraite

Annie Britton et Martin Shipley du Royaume-Uni ont récemment rapporté qu'il y avait une corrélation entre l'ennui au travail et l'apparition de facteurs de risque cardiaque[166]. Ainsi, quand on dit de quelqu'un qu'il s'ennuie à mourir, ce n'est peut-être pas exagéré! En revanche, dans un milieu de travail agréable, on se sent uni avec ses collègues. Cela pourrait expliquer pourquoi tant de gens hésitent à prendre leur retraite. Le travail, aussi difficile soit-il parfois, nous procure un milieu social et intellectuel sain, à la condition qu'il ne s'accompagne pas d'effets professionnels et sociaux négatifs. De plus, le travail nous donne généralement le sentiment d'être utiles. Il valide nos efforts.

Lors d'une étude récente menée en France, des chercheurs ont analysé les dossiers de plus de 400 000 travailleurs, la plupart étant des marchands ou des artisans qui disposaient d'une certaine latitude quant à l'âge de leur retraite. Ils ont comparé l'information relative à leur santé à celle d'autres personnes qui avaient pris leur retraite parce que leur contrat le stipulait, et en ont conclu que le risque de démence avait diminué de 3,2 % pour chaque année, passé 60 ans, où ils avaient repoussé leur retraite[167]. C'est peut-être la raison qui fait que la retraite est, en quelque sorte, en déclin. Une récente enquête menée par le Bureau of Labour Statistics des États-Unis a montré que 18,7 % des Américains de plus de 65 ans continuaient de travailler, soit une augmentation de 34 % par rapport à la décennie précédente, et que 20,1 % de ceux qui étaient âgés de 70 à 74 ans faisaient de même[168].

Je ne vous exhorte certainement pas à travailler jusqu'à la fin de vos jours. Ces données soulignent simplement l'importance d'éviter de passer d'une vie active, structurée et gratifiante tant intellectuellement que socialement, à un vide social et intellectuel après la retraite. Croyez-en les mots de sœur Constance Murphy, religieuse anglicane canadienne et gérontologue qui est récemment morte à l'âge de 109 ans alors qu'elle était encore active. Selon elle, il importe plus que tout que les personnes âgées tentent de nouvelles expériences et restent actives physiquement, mentalement et spirituellement[169]. « Les personnes âgées, affirmait-elle, peuvent entreprendre une deuxième, voire une troisième carrière, par exemple en faisant du bénévolat ou en retournant à l'université. »

Par conséquent, quand vous serez à votre retraite, veillez à prendre les moyens nécessaires pour mener une existence structurée, riche en stimulation intellectuelle et socialement gratifiante. Avant de laisser votre emploi, assurez-vous d'avoir un programme précis de ce que vous comptez faire après votre retraite afin de garder un sens à votre existence et de vous rendre utile à la société. Entre la fin de votre carrière et votre retraite définitive, une belle période de travail positif et satisfaisant vous attend potentiellement.

Nous faisons du bénévolat

Dans un article publié récemment dans *Psychological Bulletin*, les chercheurs ont analysé les preuves portant sur les bienfaits du bénévolat[170] et ont pu confirmer que celui-ci contribuait à atténuer les symptômes de la dépression, à améliorer l'état de santé général et à assurer la longévité. Chose intéressante, les auteurs ont découvert que les bénévoles tiraient le plus de bienfaits de cette activité quand ils y consacraient environ de 2 à 3 heures par semaine. Autrement dit, il n'est pas nécessaire d'y passer beaucoup de temps pour en profiter pleinement.

Nous recherchons aussi les contacts brefs

Aux activités sociales, certains préfèrent les massages, par exemple, juste pour sentir un contact humain. Autre exemple, dans le quotidien canadien *The Globe and Mail*, on a rapporté l'histoire d'une femme du nom de Marci O'Connor, qui a décidé d'abandonner son travail de rédactrice pigiste et de solliciter un emploi de serveuse de restaurant dans le seul but d'avoir plus de contacts humains[171]. Les prostituées sont nombreuses à dire que leurs clients recherchent plus le contact émotionnel que l'activité sexuelle. Certains organismes ont reconnu ce besoin et offrent des séances de câlins à quiconque le demande.

Nous adoptons des animaux de compagnie

Je pense que l'explosion du nombre d'animaux de compagnie dans les sociétés occidentales coïncide avec l'urbanisation et l'aggravation du sentiment de solitude qui en découle. Au Royaume-Uni, par exemple, on estime à 10 millions le nombre de chats. Une population équivalente de chats se trouverait en Italie et en Pologne. En Allemagne, il y aurait quelque 7,8 millions de chats et 5,2 millions de chiens[172].

Au Canada, la population humaine est de moins de 40 millions, mais nous avons 26 millions d'animaux de compagnie; 38 % des ménages possèdent un chat et 35 %, un chien. Chose fascinante, 80 % des gens estiment que leurs animaux de compagnie font partie de la famille. Ces braves bêtes atténuent notre sentiment de solitude. Pour contrer l'étalement urbain et, en conséquence, l'absence de places et de parcs publics où se rencontrer – et dans certains cas, l'éloignement des êtres chers –, nombreux sont ceux qui adoptent des animaux, sachant qu'ils seront aimés et accueillis avec chaleur par au moins une créature vivante et qu'ils seront moins confrontés à la solitude.

LA SOLITUDE PEUT SE TRANSFORMER EN DÉPRESSION

Le fait d'être entouré de gens ne constitue pas nécessairement une garantie qu'on ne se sentira pas seul, surtout si on a l'impression qu'ils ne se soucient pas vraiment de nous. Le sentiment de solitude est intérieur: on a l'impression de ne pas compter pour autrui et on croit que notre absence ne ferait aucune différence. Il peut en résulter de l'anxiété, de la dépression et de l'hostilité envers autrui.

Bien sûr, il vaut mieux éviter certaines personnes. Si un soi-disant ami ou un proche vous met de mauvaise humeur chaque fois que vous le rencontrez, que la relation est désagréable et stressante, vous n'avez pas à le fréquenter. Si les rencontres avec une personne provoquent de l'anxiété et sont désagréables, prévenez-la une ou deux fois; si elle persiste dans son attitude, cessez de la voir. Les interactions sociales négatives sont néfastes pour nos facultés cognitives.

Cela dit, il importe de souligner que, pour prévenir la dépression, il faut éviter l'isolement. L'état dépressif présente de nombreuses conséquences physiques. Par exemple, le risque s'élève de souffrir de diabète, d'une crise cardiaque, d'un AVC et de vieillissement prématuré[173]. En retour, ces affections font croître le risque de dépression, entraînant un cercle vicieux. On sait que les risques de crise cardiaque et d'AVC sont plus élevés à la suite d'un deuil ou d'un divorce, et que ces affections augmentent l'incidence de la démence. Pour ces raisons, Julianne Holt-Lunstad croit que la solitude et l'isolement social doivent être considérés comme des menaces à la santé publique[174].

Il importe également de souligner que le traitement aux antidépresseurs ne semble pas réduire les conséquences physiques et cognitives de la dépression. Entre 1992 et 1996, le taux des consultations ayant résulté en un diagnostic de dépression et en la prescription d'antidépresseurs aux États-Unis a augmenté de 18,5 % chez les Blancs, de 38,5 % chez les Noirs et de 106,7 % chez les Hispano-Américains[175]. Plusieurs d'entre nous prennent donc des antidépresseurs, mais bien que ces médicaments atténuent le sentiment de tristesse, ils ne semblent pas alléger les effets négatifs de la dépression sur le système immunitaire.

Pour toutes ces raisons, il importe d'entretenir des relations sociales et émotionnelles qui réduiront le risque que la solitude ne se transforme en dépression. Le remède contre l'isolement, quelles que soient les circonstances, consiste à acquérir la certitude de sa propre valeur, pour soi et pour les autres.

D'un point de vue pratique, tout ce que vous pouvez faire pour vous donner le sentiment de contribuer au bien-être d'autrui est un pas qui vous éloignera de la solitude et de la dépression, et qui vous rapprochera de votre propre bien-être. Ces gestes vous donneront le sentiment que vous comptez. Voici quelques exemples :

- Un étudiant a mis sur pied un service de portier. Il est passé d'un sentiment de persécution et de dépression à un sentiment d'assurance et de confiance en soi. Il s'est acquis la reconnaissance d'autrui simplement en ouvrant la porte aux autres étudiants et aux passants. Ce service lui a apporté de la notoriété, lui donnant l'impression d'être utile ; chacun appréciait son geste et lui en était reconnaissant.
- Des parcelles de terrains négligés ont été transformées en jardins. Ainsi, des voisins se réunissent pour partager une activité en plein air tout en s'impliquant socialement.

- Différents événements communautaires réunissant des gens sont régulièrement organisés. Il y en a pour tous les goûts : cercles de tricot, concours de sculpture de citrouille, cours de cuisine, ateliers d'origami, danse écossaise, rencontres musicales et groupes de marche dans les centres commerciaux. Ce dernier est mon préféré car il conjugue activité physique et interaction sociale.
- Eh oui! La prise de conscience que plusieurs d'entre nous sont privés de contacts humains et que le toucher humain apporte de très grands bienfaits physiques et psychologiques a mené à la création d'un service payant de câlins et d'étreintes.

Dans ce type d'activités, les gens se réunissent, ils se retrouvent dans un cadre social à la fois sécuritaire et agréable. Les gestes qu'ils posent font qu'ils se sentent impliqués et utiles. Par ailleurs, les activités qui se passent dans la nature et réunissent des gens sont plus susceptibles que d'autres de soulager le sentiment d'isolement. Alors, souriez à vos voisins et surprenez-les en vous montrant particulièrement gentil à leur endroit. En rendant service à d'autres, en contribuant à leur bien-être, vous repousserez le spectre de l'isolement.

Il n'y a pas de limite aux possibilités d'offrir à autrui temps, énergie, conseils, compétences professionnelles, sagesse et leçons tirées de l'existence. Faites sourire quelqu'un, portez-vous bénévole pour nourrir ceux qui ont faim, contribuez au bien-être d'un plus jeune et offrez gratuitement vos services professionnels. Vous en serez le plus grand bénéficiaire.

PUIS-JE PASSER UN TEST ME PERMETTANT DE SAVOIR SI JE SUIS DÉPRIMÉ ?

Il est effectivement possible de passer un tel test. Le Questionnaire sur la santé du patient-9 (QSP-9)[176], que vous trouverez à l'annexe 3 (page 207), vous permettra, ainsi qu'à votre médecin, de déterminer si vous êtes déprimé et, le cas échéant, d'évaluer la gravité de votre dépression. Ce test peut être utile pour dépister, diagnostiquer et mesurer la gravité de la dépression, et pour assurer une certaine surveillance, le cas échéant.

JE SUIS BRANCHÉ SUR LES AUTRES AU MOYEN DE MON ORDINATEUR ET DE MON TÉLÉPHONE INTELLIGENT. N'EST-CE PAS SUFFISANT ?

Non, ça ne l'est pas ! J'ai déjà mentionné certains des problèmes liés aux interactions électroniques. De son côté, la science reconnaît de plus en plus le fait que les communications électroniques sont une arme à double tranchant. Si vous pouvez voir votre correspondant sur un écran, par exemple grâce à Skype, c'est mieux que rien, mais le sentiment d'interagir demeure fugitif et, d'une certaine manière, dénué de réalité. Cela n'apporte pas le même degré de satisfaction que celui procuré par le fait d'être assis à côté de la personne pour bavarder avec elle et ainsi interagir. On ne peut pas passer les bras à travers l'écran pour la serrer contre soi.

Quant au textage et à d'autres outils de messagerie, ce sont des vides émotionnels. Il est beaucoup plus riche pour l'esprit et sain pour la psyché de pouvoir déterminer l'humeur de quelqu'un par ses expressions faciales, le ton de sa voix, son langage corporel, de manière à savoir comment elle réagit à ce qu'on lui dit et d'être en mesure, le cas échéant, de lui tenir les mains ou de la serrer dans ses bras. La communication par courriel ou textage permet difficilement d'évaluer le ton du message et de connaître l'état d'esprit de son correspondant, de même que son expression faciale et son humeur. En conséquence, si l'on se sert de la technologie comme principal moyen de contact avec le monde extérieur, de nombreuses parties du cerveau restent inactivées. Il est peut-être préférable d'avoir un contact électronique plutôt qu'aucun contact mais, d'un point de vue cognitif, c'est un moyen très limité.

En outre, de plus en plus de travaux de recherche portent sur les conséquences sur la santé de l'état d'hypervigilance résultant de l'emploi à longueur de journée et, souvent, durant la nuit, de l'ordinateur et des appareils portables. Nous avons été conçus pour être hypervigilants durant de courts moments, quand nous devons faire face à des ennemis ou à des bêtes dangereuses, et non durant des heures d'affilée. En conséquence, de nouveaux rapports indiquent que ceux qui passent leur temps à lire leurs courriels – lesquels s'accumulent d'ailleurs de nouveau dès qu'ils en ont fait le tri – font de l'hypertension et voient leur rythme cardiaque s'accélérer. On a même observé que le fait d'être « déconnecté » de son environnement immédiat tandis que l'on texte et que l'on envoie des courriels avait pour conséquence une baisse du QI. Pour toutes ces raisons, les entreprises qui se préoccupent du bien-être de leurs employés les encouragent de plus en plus à se débrancher en dehors du travail, voire à bloquer leur serveur en soirée.

Les jeunes qui ont grandi entourés d'appareils électroniques sont plus susceptibles de souffrir de ces conséquences que les autres. Dans un sondage récent (l'American Time Use Survey), on a observé que les Américains de 65 ans et plus consacraient 6 heures et 40 minutes par jour à la socialisation, à la détente et aux loisirs, mais que ces activités occupaient proportionnellement beaucoup moins de temps chez les plus jeunes[177]. Une étude de la Fondation de France nous révèle que 12 % des Français n'ont aucun contact avec leurs voisins[178].

De fait, on se préoccupe de plus en plus des effets cognitifs poten-tiels résultant de l'obsession des enfants pour les appareils électro-niques. Voilà ce qu'en disait récemment un grand-père : « Il n'y a plus de conversation. Quand nous mangeons à l'extérieur, les garçons consultent leur appareil en attendant le repas, puis aussitôt qu'ils ont fini de manger. Ils ne montrent aucun intérêt pour nos expériences, ne rêvassent jamais et ne prennent jamais le temps de partager leurs inquiétudes ou leurs anxiétés avec leurs parents. »

Y A-T-IL DES CHOSES QUE JE DEVRAIS ÉVITER DE FAIRE QUAND JE ME SENS SEUL ?

Absolument ! Quand vous éprouvez un sentiment de solitude, il est préférable d'éviter les activités suivantes :

1. Quand on se sent seul, on peut facilement tomber dans le piège de passer plus de temps devant la télé, ce qui ne donne pas les effets attendus puisque cela mène à la longue au sentiment d'iso-lement social. Quelle que soit l'émission, ne comptez pas sur la télé pour vous désennuyer, car c'est un mode de communication à voie unique qui ne stimule pas suffisamment le cerveau. De plus, la plupart des gens regardent la télé assis et combattent

l'ennui en mangeant. Il s'agit là d'un triple coup dur pour la santé qui contredit bien des règles présentées dans ce livre.

2. Les chercheurs semblent de plus en plus convaincus de l'importance pour la santé mentale de fermer ses appareils électroniques dans le but de se rebrancher sur son milieu naturel, social et émotionnel. Je vous conseille fortement de tous les éteindre le soir. Si vous vous réveillez la nuit, surtout ne vérifiez pas l'heure sur votre téléphone intelligent, car vous pourriez être tenté de lire vos courriels. Si vous pensez obtenir de bons points pour avoir envoyé des courriels professionnels en plein milieu de la nuit, sachez que ce sera au détriment de votre santé.

3. Évitez les bars. Les réjouissances alimentées par l'alcool disparaissent rapidement et entraînent des résultats complètement opposés. La socialisation contribue à notre bien-être et rehausse nos facultés cognitives, mais cela doit se faire de la bonne manière. La fréquentation des bars n'en est pas une.

Si vous ne suivez aucune de ces recommandations et traversez de longues périodes à entretenir le sentiment que vous êtes votre seul ami et que personne ne se soucie de vous, préparez-vous à subir les conséquences que cela peut entraîner. Vous pourriez, par exemple, devenir colérique, vous en prendre violemment à des collègues, rechercher des plaisirs prévisibles et immédiats dans la nourriture, l'alcool ou les drogues, ou un mélange de tout cela. Si vous restez à la maison, que vous évitez les activités sociales et ne vous sentez pas utile à ceux qui vous entourent, il est alors possible que vous succombiez à un sentiment d'isolement, qui pourrait se transformer en dépression. Les conséquences risquent d'être énormes sur la santé de votre cerveau et de votre esprit.

QUE FAIRE POUR ÉVITER LA DÉPRESSION ?
S'il y a, comme je l'ai indiqué plus haut, des activités qu'on devrait éviter quand on se sent seul, pour ne pas exacerber le problème, il y en

a d'autres auxquelles on devrait au contraire s'adonner pour atténuer ce sentiment, de même que la dépression.

Faites entrer la musique dans votre vie

La musique devrait jouer un rôle non négligeable dans votre vie. Elle peut contribuer de différentes façons à éloigner le spectre de la démence ; voyons comment.

1. Écoutez de la musique que vous appréciez. La musique active de nombreuses parties du cerveau et de l'esprit. On a beaucoup écrit sur la question, particulièrement mon collègue Robert Zatorre, qui a étudié comment la perception musicale menait au plaisir[179]. Chose importante, si la musique que vous écoutez vous apporte du plaisir, ce sera utile aux fonctions cognitives de votre cerveau. Elle active de nombreux centres et connexions et constitue donc un entraînement pour lui. Elle contribue en outre à améliorer la plasticité de patients ayant subi un AVC chronique et à favoriser leur rétablissement[180].

   Un article de Hanna-Pladdy, publié en 2011 dans *Frontiers in Human Neuroscience*, a permis de montrer que, chez les musiciens possédant au moins 10 ans d'entraînement musical, la fonction cognitive reste vive jusqu'à un âge avancé[181].

   Dans un rapport présenté récemment à la Société européenne de cardiologie, on a mentionné que les gens qui écoutaient leur musique préférée durant à peine 30 minutes par jour voyaient leur aptitude à l'exercice s'améliorer de 19 %[182]. Les mélodies que l'on aime contribuent à la forme physique sans même qu'on ait à faire de l'exercice ! En outre, la musique a le pouvoir d'augmenter la réserve cognitive.

   De nombreux articles mettent l'accent sur les bienfaits émotionnels et cognitifs qu'on retire d'une activité musicale régulière, même en présence d'un déclin cognitif[183]. Nous ne connaissons pas tous les mécanismes par lesquels la musique exerce ses bienfaits, mais il est évident que son écoute rehausse la cognition même chez les personnes âgées.

2.	Mieux encore, dansez au son de la musique. Si vous en êtes capable, bien sûr ! J'ai toujours pensé que la danse devrait faire partie de nos activités à la retraite. Elle conjugue l'écoute de la musique et le mouvement rythmé, et favorise l'interaction sociale. J'ai remarqué récemment que certaines églises ouvraient les portes de leur sous-sol à leurs paroissiens pour des soirées dansantes. Il me semble que c'est faire un excellent usage d'un espace qui ne sert généralement à rien, cette activité permettant à des gens de nouer des liens dans une ambiance agréable.

Dans les Maritimes, provinces de l'Est du Canada, les rencontres musicales sont très populaires. On y offre divers goûters, souvent de la crème glacée, et on écoute de la musique jouée en public. Mais ce qui me chagrine, c'est que les gens restent assis. Bien sûr, ils bavardent et interagissent socialement, mais j'ai toujours envie de me lever et de bouger, et peut-être d'inviter une dame à danser !

Enfin, d'aucuns affirment que les quadrilles préviennent la démence. À ma connaissance, il n'y a pas de preuve scientifique à cet égard, mais les partisans de ce genre de danse soulignent le fait qu'elles activent de nombreuses fonctions cérébrales et corporelles dans la mesure où les danseurs doivent écouter les instructions données, adapter leurs mouvements en conséquence, garder le rythme de leurs compagnons et bouger à l'unisson, tout « en appréciant la musique et la compagnie ». Ils ont peut-être raison. L'étude *Depressed Adolescents Treated with Exercise* ou DATE (adolescents déprimés traités au moyen de l'exercice) a montré que l'exercice pouvait être une intervention non médicale efficace chez les adolescents de 12 à 18 ans souffrant de dépression majeure[184]. Par conséquent, si vous aimez les quadrilles, faites-en.

3.	Si possible, joignez-vous à une chorale. La participation à une chorale équivaut à une thérapie musicale de groupe, en plus de favoriser les liens sociaux entre ses membres. En outre, ces derniers retirent de la satisfaction à faire plaisir à autrui, tout cela en une seule activité. La participation à une chorale contribue à soulager la dépression et à rehausser la capacité à raisonner ainsi que la mémoire[185].

Éliminez les sources de bruit

Que l'on soit dans un magasin, un restaurant ou un ascenseur, on est parfois obligé d'écouter une musique que l'on n'a pas choisie et que l'on n'aime pas; les bouche-oreilles sont alors bien pratiques. Comme bien des gens, pour limiter les bruits ambiants, j'ai sur moi des bouche-oreilles, tandis que d'autres portent leurs écouteurs à réduction de bruit. La musique s'adresse à notre être intérieur; quand on n'aime pas celle qui nous est imposée, l'humeur peut s'en ressentir et, si cela persiste, le cerveau peut en subir les conséquences.

La musique que l'on n'aime pas devient du bruit. Notre système vasculaire est directement affecté par le bruit parce qu'il n'est pas conçu pour y réagir. Quand il fait chaud dehors, nous transpirons, ce qui nous rafraîchit. S'il fait froid, nos vaisseaux sanguins se détendent afin de laisser passer plus de sang chaud vers nos organes vitaux. Cependant, le corps ne dispose d'aucun réflexe semblable qui permettrait d'atténuer le bruit. Il l'interprète donc toujours comme une menace externe.

Nous disposons désormais d'une documentation importante portant sur les effets néfastes du bruit. Celui qui provient d'un aéroport proche a été associé à une hausse du risque de cardiopathie[186]. Chez les gens qui vivent à proximité, le système vasculaire réagit négativement, même lorsqu'ils prétendent ne pas souffrir du bruit; leur pression artérielle s'élève même s'ils continuent de dormir et ce signal cardiovasculaire inquiétant peut persister[187].

Par conséquent, veillez à minimiser votre exposition au bruit, écoutez la musique que vous aimez à volonté, levez-vous et effectuez quelques pas de danse!

Développez vos penchants artistiques

Le Réseau canadien des accidents cérébrovasculaires a tenu un symposium consacré aux gens qui avaient subi un AVC, en les invitant à y participer avec leurs aidants. Une patiente a eu l'excellente idée d'apporter ses peintures. Elle pratiquait cet art en dilettante avant son accident et a continué de le faire par la suite. La plupart de ses œuvres illustraient des fleurs dans un vase. La séquence était fascinante : avant son accident, les fleurs étaient de couleurs vives, de même que les décorations sur les vases, mais sur les premières peintures qui ont suivi son AVC, les fleurs étaient grossièrement dessinées et rudimentaires, tandis que le bleu, le gris et le noir prédominaient. À mesure qu'elle se rétablissait, les couleurs redevenaient plus variées et les contours, mieux définis. On pouvait deviner les étapes de son accident et de son rétablissement graduel simplement en regardant les peintures dans l'ordre chronologique où elle les avait réalisées.

Les activités artistiques sont particulièrement stimulantes pour le cerveau et activent les centres de la mémoire. Par conséquent, si vous avez des intérêts artistiques, n'hésitez pas à les exploiter, quel que soit votre talent.

LA DÉPRESSION PEUT MENER À LA DÉMENCE

La documentation scientifique est limpide : la dépression prolongée contribue à la démence. Dans une analyse systématique récente des facteurs associés au déclin cognitif se produisant plus tard dans l'existence, Plassman et ses collègues ont revu les grandes études observationnelles et les essais hasardés avec groupe témoin dont les résultats ont été publiés sur une période de 25 ans. Ils en ont conclu qu'il existait un lien entre la dépression et l'apparition de la démence, confirmant ainsi ce que de nouvelles études nous apprennent sur cette association[188]. De son côté, Köhler et ses collègues ont rapporté que la moitié des patients souffrant de troubles dépressifs majeurs présentaient des déficits généralisés de la capacité à raisonner et de la mémoire[189]. Ainsi, le consensus scientifique et médical veut qu'il y ait une forte influence négative de la dépression sur notre capacité à penser avec clarté et à bien mémoriser.

La dépression semble apporter des changements dans le corps qui favorisent de nombreux facteurs de risque associés à la démence, facteurs qui vous sont désormais familiers. D'abord, elle semble accélérer le vieillissement. Les scientifiques peuvent observer les cellules du corps et en mesurer la partie terminale qu'on appelle « télomère ». Cela leur permet de déterminer l'âge biologique de la personne, qui ne correspond pas nécessairement à son âge chronologique, mais plutôt à l'usure de ses cellules. Or, des chercheurs des Pays-Bas ont pu observer que, chez les personnes souffrant ou ayant souffert de dépression, les télomères étaient plus courts, ce qui signifiait que leur corps vieillissait plus rapidement que celui des autres participants à l'étude, même en pondérant tous les autres facteurs[190]. La dépression ajoute donc à l'âge des années que la personne n'a pas vécues.

La dépression est aussi un facteur de risque de petits AVC, au même titre que l'hypertension[191]. Les résultats d'une étude récente sur l'imagerie cérébrale indiquent que les personnes déprimées présentent des anomalies dans ces parties du cerveau connues pour être vulnérables aux petits AVC furtifs de la substance blanche dont il a été question précédemment[192]. Ce fut certainement un choc pour moi de le découvrir. Je savais que le contraire existait, c'est-à-dire que les personnes qui avaient malheureusement subi un AVC souffraient subséquemment de dépression, mais ce n'est que tout récemment que la documentation médicale a rapporté que la dépression élevait le risque de subir un AVC. Elle entraîne donc la confusion et affecte la mémoire en accroissant le risque de subir de petits AVC au niveau de la substance blanche. Ces découvertes nous permettent d'identifier un cercle vicieux : la dépression provoque de petits AVC, ce qui l'aggrave et, en conséquence, entraîne l'apparition de la démence et d'autres AVC furtifs. Si l'on désire protéger son esprit, il est donc absolument essentiel d'éviter la dépression.

> **Si vous souhaitez approfondir la question, poursuivez votre lecture. Sinon, le temps est venu de conclure !**

Comment se fait-il que la dépression provoque des AVC ?

C'est par divers mécanismes qui, ensemble, causent des lésions cérébrales que la dépression semble accroître le risque d'AVC. D'abord, le cœur et les vaisseaux sanguins réagissent à notre état d'esprit. Quand on a étudié les effets des émotions sur ces organes, on a découvert que la tristesse entraînait un effet distinct se manifestant par une élévation modérée de la pression artérielle et de la résistance vasculaire, ainsi que par une moins bonne efficacité du cœur à faire circuler le sang[193]. Quand ces réactions persistent chez la personne que la tristesse affecte et qui finit par souffrir de dépression chronique, elles provoquent des lésions au cerveau.

Notre corps interprète la dépression comme un stress ininterrompu. Dans une étude dont les résultats ont été publiés en avril 2013, des chercheurs néerlandais ont analysé le taux de cortisol accumulé dans les cheveux des participants, indice de la persistance du stress. Ils ont découvert que ceux dont ce taux était élevé présentaient un risque beaucoup plus élevé de maladie vasculaire et de diabète[194]. Ainsi, la dépression persistante a pour effet de faire vieillir les vaisseaux sanguins.

La dépression amoindrit aussi la capacité à réguler l'appétit et élève le risque de recourir à des comportements néfastes tels que le tabagisme et l'alcoolisme. Comme l'écrit le Dr Cacioppo, auteur d'un livre intitulé *Loneliness : Human Nature and the Need for Social Connection*, « nous cherchons à soulager notre souffrance en nous gavant de sucre et de gras, ce qui alimente les centres du plaisir du cerveau[195] ». Par conséquent, la dépression peut mener à l'obésité, autre attaque contre la santé vasculaire et mentale.

Le mécanisme probablement le plus probant dans l'association entre dépression et AVC ainsi que déclin cognitif est la réponse immunitaire à la première. Il semblerait que, en cas de dépression, le corps réagisse de la même manière que s'il était infecté par un mauvais virus ou souffrait d'une maladie incurable. Les molécules produites, soit des cytokines inflammatoires, peuvent entraîner une inflammation marquée dans l'organisme, comme on peut le mesurer chez les patients déprimés, qui présentent des taux élevés de ces composés[196]. On sait désormais que ces derniers endommagent les parois des vaisseaux sanguins et contribuent à accélérer l'athérosclérose et, par conséquent, à réduire le calibre des vaisseaux sanguins. Ainsi, la dépression provoque le même genre de lésions vasculaires que le tabagisme, l'obésité et le vieillissement, qui sont tous associés à une élévation chronique du taux de cytokines inflammatoires. Ce qui donne à penser que la dépression peut accentuer les lésions vasculaires résultant de ces autres affections et que tout cela peut mener à la démence. Cette association a été récemment confirmée par mon collègue Phil Gorelick[197]. J'ai tenté de présenter tous ces éléments dans le schéma de la figure 7.1.

FIGURE 7.1 CERCLE VICIEUX DES MÉCANISMES MENANT DE LA DÉPRESSION À LA DÉMENCE, LAQUELLE ACCENTUE À SON TOUR LE CYCLE

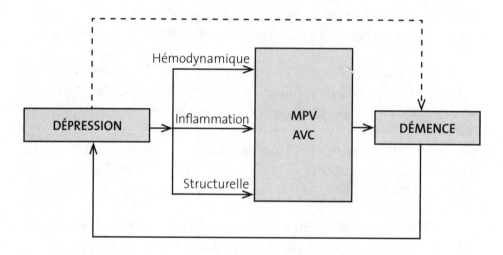

Le sigle MPV correspond à maladie des petits vaisseaux.

Si on traite la dépression, peut-on éviter la démence qui y est associée ?

Si la dépression est traitée, on évitera les lésions additionnelles, mais les troubles cognitifs existants ne semblent disparaître qu'à l'issue d'un long processus mené avec beaucoup de détermination. Donc, idéalement, nous devrions rester alertes et en contact avec nos sentiments. Si l'on éprouve de la tristesse, de l'anxiété, de l'irritation, un stress tenace et le sentiment de ne pas être utile à la société et à son entourage, ce pourrait être le signe qu'on est sur la voie de la dépression. On doit être particulièrement attentif à ces sentiments, surtout s'ils s'accompagnent de symptômes physiques tels que fatigue, insomnie, manque d'appétit et maux de tête. Il importe d'agir aussitôt afin d'atténuer cette souffrance psychologique et d'éviter ainsi les conséquences terribles qu'elle exerce sur le corps et le cerveau décrites dans ce livre.

Si, en dépit de ce que vous faites pour soulager vos symptômes et combattre la dépression, celle-ci persiste, vous devez impérativement solliciter de l'aide médicale et psychiatrique. La psychothérapie, la méditation de pleine conscience et la psychothérapie cognitivo-comportementale se sont toutes révélées efficaces pour soulager la dépression. Cependant, il faut souvent traiter aussi cette maladie par voie médicamenteuse, voie que plusieurs ont choisie.

EN CONCLUSION, SOMMAIRE ET QUELQUES MESSAGES IMPORTANTS

Comme on l'a vu dans les pages précédentes, la démence n'est pas une conséquence inévitable du vieillissement. Bien qu'il soit préférable de commencer à travailler sur ses capacités cognitives dès l'enfance, il n'est jamais trop tard pour s'y mettre. Il est en effet possible d'influer positivement sur les fonctions de la pensée et de la mémoire. Efforcez-vous de faire travailler votre mémoire, variez les activités et restez intellectuellement actif **(règle n° 1)**.

On devrait, par ailleurs, éviter ce qui influe négativement sur ces fonctions. Avant tout, on doit empêcher les maladies vasculaires de léser le cerveau. Ce qui signifie qu'on doit se protéger de l'AVC, tant l'AVC manifeste, que l'on ressent et que l'on peut traiter si on y voit rapidement, que l'AVC furtif, dont on n'a pas conscience. Ils sont tous deux dommageables pour notre capacité cognitive **(règle n° 2)**.

Comme l'hypertension est le principal facteur qui peut mener à un AVC et léser le cerveau, il est impératif de mesurer régulièrement et de noter sa pression artérielle, en sachant qu'elle devrait idéalement se situer autour de 120/80 mm Hg **(règle n° 3)**.

L'obésité, un facteur de risque majeur et fréquent de la démence, favorise le diabète l'inflammation, contribue à élever la pression artérielle et entraîne à long terme des troubles de la cognition. Pour garder l'esprit vif, il importe donc de bien manger et de surveiller son poids **(règle n° 4)**.

Nous avons également appris récemment que l'exercice modéré améliorait les fonctions de la mémoire. Il est recommandé de suivre les conseils donnés sur la quantité d'exercice qu'il faut faire pour garder l'esprit alerte **(règle n° 5)**.

Bien que son poids ne corresponde qu'à 2 % de celui du corps, le cerveau consomme 20 % de son énergie. Comme le sommeil permet au cerveau d'évacuer les déchets provenant de cette consommation énergétique, il faut bien dormir **(règle n⁰ 6)**. Il est important de suivre les suggestions données dans ce livre en vue de dormir plus, s'il y a lieu, et d'avoir un sommeil de meilleure qualité.

Enfin, il est fortement recommandé de garder le moral et d'éviter la tristesse, l'isolement et la dépression, toutes ces affections favorisant la maladie vasculaire et les AVC, et affectant la mémoire **(règle n⁰ 7)**.

Ces sept règles s'accompagnent de conseils pratiques qui ont été avalisés par la science, comme en témoignent les articles cités tout au long de cet ouvrage.

MESSAGE À TOUS

J'espère que vous êtes maintenant convaincu qu'on peut faire beaucoup pour préserver – et même améliorer – son aptitude à raisonner, sa mémoire, son jugement et son degré de bonheur. Le cerveau tend vers la démence bien avant l'apparition des symptômes d'un trouble cognitif. Chez les personnes ayant hérité du gène de la maladie d'Alzheimer, le scénario de démence est inscrit avant même qu'elles soient nées, mais, comme je l'ai souligné dans ce livre, il s'agit là d'une minorité relativement faible d'individus qui souffrent de démence; même dans ces cas-là, on tire avantage à prendre la situation en main et à limiter le risque vasculaire pour le cerveau. Pour la majorité des gens, le scénario qui déterminera s'ils souffriront ou non de démence commence à s'écrire dans l'enfance, mais il ne s'achève jamais.

On ne doit jamais abandonner la lutte contre la démence. Quel que soit son âge, l'adoption d'habitudes saines et de bonnes approches permettra de diminuer le risque de souffrir de troubles cognitifs. Voilà pourquoi j'ai écrit ce livre : pour dire qu'il y a toujours espoir d'éviter ou d'atténuer la démence. Le cerveau enregistre et réagit à tout ce qui nous arrive, à tout ce que l'on fait ou ne fait pas avec notre corps et notre esprit. Il importe donc de faire savoir à tous que nous avons besoin d'un nouveau contrat personnel et social permettant de diminuer l'incidence et les effets de la démence sur les personnes et la société.

Il est crucial que nous commencions par surveiller la santé des femmes enceintes et des enfants qu'elles portent afin d'éviter à ces derniers de souffrir tout au long de leur existence, un fardeau lourd à porter pour leur famille et des coûts élevés pour notre système de soins de santé. En outre, il importe d'aider les parents à fournir à leurs jeunes enfants le milieu – physique, social et intellectuel – qui contribuera à rehausser leurs facultés cognitives ; on doit voir cette aide comme un investissement important et non comme un coût.

Ces questions exercent des effets majeurs sur l'apparition des facteurs de risque de la démence. J'ai souligné précédemment les statistiques illustrant l'augmentation de l'incidence de l'hypertension et de l'obésité chez les jeunes. Dans une étude suédoise dont les résultats ont été publiés dans le *Journal of the American Medical Association – Internal Medicine*, des chercheurs ont suivi durant 37 ans près d'un million d'hommes qui s'étaient enrôlés sous les drapeaux et dont certains avaient fini par souffrir de démence[198]. Or, la présence d'hypertension artérielle dans leur jeunesse et la consommation excessive d'alcool ont été fortement associées à l'apparition subséquente de la démence. De même, cette étude a permis de confirmer l'existence d'un lien entre la démence, l'absence de stimulation intellectuelle en bas âge, un mode de vie sédentaire et le tabagisme, choses qui ont été réaffirmées dans ce livre.

Pour cette raison, le message que je veux livrer à tous ceux qui sont concernés par le bien-être de nos jeunes – parents, travailleurs en garderie, éducateurs, responsables des politiques scolaires, directeurs des cafétérias scolaires et gestionnaires des fonds publics –, c'est que ce à quoi nous sommes exposés durant notre existence, mais tout particulièrement dans la jeunesse et jusque dans la cinquantaine, exerce un effet sur notre santé mentale ultérieure.

Une mise en garde s'impose ici. Je ne doute pas que, après s'être laissé convaincre de l'importance de suivre les conseils que je prodigue dans ce livre, certaines personnes tenteront d'apporter ces changements dans leur vie. Si vous y parvenez en partie pour ensuite abandonner, vous pourriez hésiter à recommencer par crainte de l'échec. Surtout, ne désespérez pas. Des changements aussi significatifs que ceux que j'ai recommandés ne sont pas nécessairement faciles à mettre en œuvre. Gardez à l'esprit que le changement peut se produire après quelques tentatives n'ayant réussi que partiellement. Certains de mes collègues en psychologie me disent que quand ils cherchent à introduire des changements majeurs dans leur existence, ils doivent s'y reprendre de 4 à 7 fois en moyenne avant d'y parvenir. Alors, courage !

J'aimerais partager avec vous quelques autres considérations importantes. Si, dans le passé, vous avez tenté d'apporter certains changements dans votre vie et n'y êtes pas parvenu, soyez fier d'avoir essayé et ne désespérez pas. Ne dit-on pas qu'il est préférable d'avoir essayé et échoué que de ne pas avoir essayé du tout ? Après vous être félicité d'avoir tenté la chose, transformez votre dernière tentative en une expérience d'apprentissage. Pourquoi avez-vous échoué ? Était-ce parce que vous n'étiez pas absolument convaincu de la nécessité d'agir ? Si, à la lecture de ce livre, vous avez acquis la conviction que vous devez apporter des changements et êtes à nouveau déterminé, assurez-vous que tous les éléments de la réussite soit présents. Voici des conseils à cet effet :

1. Vous éprouvez dans votre for intérieur le besoin d'apporter des changements à votre mode de vie ou à vos habitudes en lien avec des facteurs de risque de démence. Vous percevez l'importance de le faire, y songez depuis un bon moment et avez tenté de changer les choses auparavant, en y arrivant partiellement, mais pas à long terme. Ne vous découragez pas. Demandez-vous si vous êtes véritablement prêt cette fois. Si c'est le cas, préparez-vous à consacrer une bonne dose d'énergie à l'atteinte de vos objectifs.

2. Ne cachez pas votre décision à autrui. Au contraire, partagez-la avec des amis proches, votre conjoint ou d'autres personnes qui se préoccupent de votre bien-être. Comme nous avons tous besoin de savoir que quelqu'un éprouve de l'empathie pour nous, assurez-vous de disposer d'un bon réseau de soutien social, qu'il s'agisse d'amis ou de membres de la famille qui vous encourageront et vous féliciteront pour vos premières réussites.

3. Vous avez plus de chances de réussir si vous changez vos habitudes ou le cadre dans lequel vous évoluez. Une de mes collè-

gues qui avait décidé de mincir a perdu, au cours de l'année suivante, 21 kilos, ce qui correspondait au but qu'elle s'était fixé. Elle savait que le grignotage en soirée – dans son cas, croustilles, sucreries et biscuits – constituait son principal problème. Elle a donc cessé de faire ses courses toutes les semaines et de remplir son frigo à ras bord. Elle se contentait plutôt d'acheter, sur le chemin du retour, les aliments sains qu'elle consommerait ce jour-là. Son garde-manger était presque vide et son réfrigérateur ne contenait que l'essentiel. Il n'y avait ni aliments riches ni boissons gazeuses dont elle aurait pu se gaver. Cette nouvelle habitude ne lui a pas semblé très efficace au début, mais elle a persisté car elle recevait des compliments de ses amis et de ses collègues à mesure qu'elle perdait du poids, ce qui a renforcé son comportement et, au final, lui a permis d'atteindre son but.

4. L'exemple qui précède va à l'encontre du but que nous visons tous dans notre société moderne, à savoir nous rendre la vie plus facile et la plus douce possible. Un des principes qui soustend cet ouvrage, c'est justement d'aller à contre-courant de cette tendance en faisant en sorte de rendre nos journées plus exigeantes physiquement et mentalement. Cela pourrait vous demander un peu plus de temps, mais c'est du temps investi dans un futur en santé.

5. Apportez autant de changements dans votre mode de vie qu'on en propose dans les pages qui précèdent, mais faites-le un changement à la fois. On peut difficilement commencer à mesurer sa pression toutes les semaines, à perdre du poids, à accroître son activité physique en même temps qu'on cesse de fumer. Maîtrisez vos démons un à un.

6. Célébrez les petites réussites. Tirez-en de la fierté et profitez de l'énergie qu'elles vous apportent pour poursuivre le programme proposé dans ce livre. La protection de votre mémoire et des facultés de votre esprit en vaut bien la peine.

MESSAGE AUX PARENTS

Puisque bien des facteurs qui déterminent la démence plus tard dans la vie se manifestent dès l'enfance, les parents doivent assumer de nombreuses manières la responsabilité d'influer sur le comportement de leurs enfants avant l'adolescence.

Récemment, nous avons visité un ami à son chalet. Plusieurs personnes avaient été invitées car c'était son anniversaire. Une grand-mère s'occupait de nourrir son petit-fils, qui commençait à peine à marcher. Le repas consistait en un hot-dog coupé en morceaux qu'il engloutissait rapidement. Déjà, avant même de célébrer son deuxième anniversaire, le petit semblait obèse. J'étais consterné, mais je me suis bien retenu d'exprimer mes sentiments. Cette grand-mère n'avait pas su profiter de la possibilité qui lui était offerte d'agir pour le mieux-être de son petit-fils. On doit toujours se rappeler que les aliments que nous donnons à nos enfants alors qu'ils dépendent encore de nous seront ceux qu'ils préféreront plus tard dans l'existence.

Le fait que les enfants passent de plus en plus de temps devant un écran exerce un effet négatif sur leur développement, tant physique que cognitif et social. La compétence dans le domaine informatique est importante, mais des données récentes établissent un lien entre, d'une part, les heures excessives passées à l'ordinateur ou devant d'autres appareils électroniques et, d'autre part, l'augmentation du sentiment d'isolement et de la dépression; de plus, le sédentarisme qui en découle est associé à l'obésité. En outre, les jeux électroniques violents contribuent à accroître l'agressivité et possiblement à désensibiliser les enfants à la douleur ou à la souffrance d'autrui. Pour toutes ces raisons, on conseille de limiter à deux heures le temps qu'ils passent chaque jour devant un écran, et d'instaurer une journée par semaine sans écran.

Gardez à l'esprit que les enfants apprennent mieux et sont plus heureux quand il y a de l'activité physique dans leur vie. Encouragez-les à bouger et, autant que possible, participez à leurs activités: vélo, sauts, course et autres exercices physiques. L'obésité chez les enfants d'âge préscolaire peut entraîner sur le long terme des problèmes de santé chroniques prématurés. On l'a associée à des troubles scolaires et sociaux chez les enfants de la maternelle, à des difficultés dans les relations, à des sentiments accrus de tristesse, de solitude et d'anxiété, ainsi qu'à une piètre image de soi-même. Ces conséquences négatives s'observent même chez des enfants qui n'ont pas plus de cinq ans. Par contraste, les jeunes qui découvrent le plaisir d'être actifs continueront de l'être à l'âge adulte. J'encourage donc les parents à donner à leurs enfants l'occasion d'apprécier le plaisir de bouger.

En plus de mettre l'accent sur le plaisir de l'activité physique et sur la nécessité d'éviter l'obésité, la documentation scientifique est claire sur l'effet positif d'une exposition prolongée à l'apprentissage et à l'éducation. Par conséquent, en plus d'encourager leurs enfants à bouger, le défi des parents consiste à leur transmettre l'amour de l'apprentissage. Quand l'enfant demande pourquoi il devrait apprendre l'algèbre étant donné qu'il ne s'en servira jamais, la réponse à lui donner est : « Parce que ça développe ton cerveau. »

Enfin, commencez tôt à initier les enfants à la musique. L'éducation musicale et la maîtrise d'un instrument semblent avoir des effets positifs durables sur les fonctions cognitives. On sait aussi que la pratique de la musique constitue un moyen agréable d'avoir une meilleure mémoire[199]. Quand on apprend tôt à l'apprécier, la musique est une source de joie qui dure toute la vie.

MESSAGE AUX MÉDECINS ET AUX AUTRES PRESTATAIRES DE SOINS DE SANTÉ

Les gens de tout âge confient leur santé aux médecins et aux autres prestataires de soins de santé. C'est une lourde responsabilité à porter ; bien que les soins soient offerts de manière adéquate dans la plupart des cas, il vaut la peine de souligner certains points concernant la démence.

- L'hypertension est reconnue comme étant le principal facteur de risque vasculaire cérébral menant à la démence. Insistez auprès de vos patients pour qu'ils surveillent leur pression artérielle et qu'ils se présentent à leur rendez-vous de suivi avec le compte rendu hebdomadaire de leur pression mesurée au repos.

- Si la pression systolique au repos d'un patient se situe habituellement au-dessus de 120 mm Hg, il devrait modifier son alimentation et son mode de vie en conséquence. Les rendez-vous ou les appels téléphoniques de suivi sont essentiels afin de le soutenir dans ses efforts et de maintenir sa détermination. Si c'est insuffisant, il faudra lui prescrire des médicaments. L'hypotension orthostatique et les vertiges, de même que les chutes et les fractures qui les accompagnent parfois, sont des conséquences potentielles du traitement de l'hypertension, mais ces complications peuvent être évitées. Les patients doivent être informés de la manière de le faire. Ces effets indésirables et ces complications ne devraient pas nous empêcher de protéger le cerveau.

- Actuellement, les facteurs de risque des maladies vasculaires et, en conséquence, de la démence ne font pas que croître ; ils atteignent des proportions épidémiques et apparaissent de plus en plus tôt dans la vie. En tant que prestataires de soins de santé ayant à cœur la santé à long terme de nos patients, nous devons nous montrer proactifs dans nos tentatives de corriger le mode de vie et ses facteurs de risque menant à la démence dès le bas âge.

- Il importe de dépister l'obésité chez les enfants de moins de cinq ans et d'intervenir aussitôt. L'obésité chez les enfants d'âge préscolaire a été associée non seulement à des problèmes de santé, mais aussi à une mauvaise performance à l'école. Il semblerait que l'émotion qui précède le plus souvent un épisode de gloutonnerie soit la colère, ce qui souligne la relation qui existe entre la consommation alimentaire et les émotions. D'autres données ont permis d'établir un lien entre le sentiment de solitude et le syndrome métabolique. Il est donc important de reconnaître les facteurs émotionnels et sociaux qui jouent un rôle dans l'apparition de l'obésité et d'y faire face.

- On a associé les effets de divers médicaments en vente libre à des troubles de la fonction cognitive, dont les anticholinergiques servant à traiter les crampes abdominales, les antihistaminiques qui soulagent des allergies, les médicaments prescrits contre l'incontinence urinaire et ceux qui aident les patients à s'endormir. La répugnance que beaucoup d'entre nous éprouvent à prescrire ces médicaments, sauf à court terme, est tout à fait justifiée ; on ne devrait pas l'écarter.

- L'aidant d'une personne souffrant de démence doit faire partie intégrante des conversations portant sur les décisions à prendre pour le patient. Établissez une bonne relation avec lui ou elle. Les aidants souffrent émotionnellement de la « perte » de la personne démente tout en souhaitant rester à ses côtés. On doit souvent leur donner un coup de pouce quand vient le temps de la placer dans un centre de soins de santé ou de prendre d'autres décisions importantes à sa place.

- Si vous prodiguez des soins à des personnes vivant en maison de retraite, résistez à la tentation de les médicaliser afin d'induire chez elles une attitude de soumission. Des données en provenance de certaines provinces canadiennes indiquent que 38 % des résidents en centre de soins de longue durée sont sous antipsychotiques, médicaments destinés à les calmer[200]. Cette décision a pour but de réduire le fardeau du personnel, mais elle a pour effet d'accélérer le déclin des capacités physiques et mentales des résidents. Ces médicaments ne devraient être administrés que si la personne âgée représente un danger pour elle-même ou pour les autres.

- Si vous êtes médecin dans un établissement de soins de longue durée, vous devriez informer les membres du personnel sur les risques qu'il y a à limiter la mobilité des résidents. Plutôt que d'insister pour que ces derniers emploient un fauteuil roulant pour se déplacer, dites-leur que les programmes permettant aux résidents d'être plus mobiles leur seraient directement utiles, sans compter que cela contribuerait à réduire les soins requis et, par conséquent, leur charge de travail.

MESSAGE AUX DIRECTIONS D'ÉCOLE ET DE GARDERIE, AUX ENSEIGNANTS ET AUX ÉDUCATEURS

Le poids moyen d'un enfant américain a augmenté de plus de 5 kilos au cours des 30 dernières années. Plus de 30 % des enfants aux États-Unis présentent un surpoids ou sont obèses[201]. Les directions d'écoles et de garderies, les enseignants et les éducateurs peuvent apporter un contrepoids à cette épidémie d'obésité. De nos jours, les enfants ne sont tout simplement pas aussi actifs qu'avant. Leur nombre augmentant dans les classes et les ressources diminuant, les programmes d'éducation physique sont souvent les premiers à subir les réductions budgétaires, en dépit des preuves croissantes que cela entrave l'apprentissage scolaire.

Dans certains secteurs, les responsables scolaires ont pris sur eux d'offrir aux élèves plus d'occasions de faire de l'exercice, notamment en l'intégrant dans les classes. Voici des exemples :

- *Brain Breaks*, un DVD mis au point par l'Université de l'Oregon (en anglais seulement), comprend des exercices d'une durée de cinq minutes qu'on peut pratiquer en classe. Non seulement ces pauses de cinq minutes sont-elles appréciées des enfants, mais elles les aident à améliorer leur concentration, leur mémoire et leur capacité d'apprentissage.
- Sheryl Parker, une enseignante de l'Ontario, au Canada, affirme que les mini-pauses consacrées à l'exercice qui font partie du programme alternatif de son école donnent de bons résultats, tout particulièrement auprès des enfants souffrant du trouble du déficit de l'attention (TDA). La journée en classe comprend de la musique, de la gymnastique cérébrale (*cross-crawl*), des danses de 30 secondes, de la méditation, des étirements et, une fois par semaine, des exercices de résolution de problème incorporés dans des activités physiques.
- Il est important d'enseigner aux enfants et aux adolescents les mesures nécessaires pour réduire le risque de blessures à la tête et de commotion cérébrale.
- Les commissions scolaires et les directions d'école devraient rendre obligatoires les pauses consacrées à l'exercice et s'assurer

qu'elles ne se transforment pas en période de repos ou en séance
. de textage.

- Il pourrait être utile de repousser l'heure de début des cours chez les adolescents. Comparativement aux adultes, les adolescents préfèrent veiller tard et se lever tard. En conséquence, quand les cours débutent tôt, ils ne dorment pas suffisamment. Dans certains secteurs, les cours commencent plus tard.
- Bien des écoles offrent désormais aux élèves des aliments plus nutritifs. Cette tendance louable doit être élargie, en même temps qu'on doit limiter les possibilités que les élèves ne contournent le système et n'aillent manger au restaurant-minute du coin.

MESSAGE AUX AIDANTS DES PERSONNES SOUFFRANT DE TROUBLES COGNITIFS

Les soins aux patients souffrant de démence sont essentiellement prodigués à domicile par des proches aidants. Comme ces aidants finissent souvent par devenir des patients eux-mêmes, il importe, si vous êtes l'un d'eux, de rester en contact avec votre état physique et psychologique, et de réagir de manière appropriée.

- Si vous êtes l'aidant d'une personne souffrant d'un trouble cognitif, votre santé et votre bien-être pourraient être menacés. Si votre père ou votre mère est affligé de démence, vous souhaitez peut-être, par dévouement, lui rendre l'amour qu'il ou elle vous a prodigué, mais il importe que vous ne le fassiez pas au détriment de votre santé.
- Explorez les possibilités d'aide que vous offrent votre employeur, votre municipalité, votre établissement de soins de santé et les régimes professionnels ou sociaux auxquels votre parent adhère, par exemple celui des vétérans.
- Exprimez vos émotions. Ne vous isolez pas. Jouer le rôle du héros ou de la pauvre victime ne peut qu'entraîner des conséquences néfastes sur votre santé mentale et votre capacité d'aidant.

- Demandez l'aide d'organismes de bénévolat. Par exemple, la Société Alzheimer du Canada et Alzheimer Europe ont mis au point de très bons programmes d'information et peuvent, au besoin, apporter leur soutien au moment requis. Les municipalités et divers organismes publics ou privés offrent aussi parfois des centres de répit pour les aidants naturels.

- La musicothérapie est efficace. Les résultats d'études indiquent qu'en aussi peu que six semaines, elle peut soulager l'agitation chez les personnes souffrant de démence. Cette technique de même que d'autres pourraient contribuer à réduire votre charge tout en aidant la personne touchée.

- Il importe, peut-être en consultation avec d'autres membres de la famille qui se sentent proches de la personne atteinte de démence, de définir à l'avance le programme de soins, en gardant à l'esprit que votre persévérance dépendra de l'intensité et de la durée des soins requis par la personne malade.

- Gardez à l'esprit que 38 % des aidants naturels font l'expérience de la dépression et que, par conséquent, vous devrez rester vigilant à cet égard et réagir avant que votre tristesse ne devienne chronique et débilitante.

- Il est essentiel d'établir vos limites, particulièrement si vous êtes une femme. Des études ont démontré que les femmes sont plus susceptibles de se transformer en aidantes que les hommes. De plus, dans ce rôle, elles semblent obtenir moins de soutien de la part de la famille et de la société que les hommes.

- Tôt ou tard, il faudra prendre la décision de placer en établissement la personne souffrant de démence. On peut généralement prédire quand cela deviendra nécessaire. Cela se passera plus tôt que plus tard si :
  - la démence s'aggrave. Une baisse des capacités cognitives et fonctionnelles, et une aggravation des comportements anormaux indiquent qu'il faudra placer la personne plus rapidement en centre d'hébergement ;
  - la personne ne maîtrise pas ses fonctions corporelles ;

— des symptômes psychiatriques, tels que l'agitation, la violence ou des agressions imprévisibles, apparaissent.

En présence de ces complications, il est recommandé de confier à un établissement spécialisé la responsabilité de prendre soin de la personne souffrant de démence.

LE RÔLE DES POLITIQUES PUBLIQUES

Huit millions de Canadiens, soit plus de 20 % de la population, jouent le rôle d'aidants naturels pour des parents ou des amis proches souffrant de troubles de la santé à long terme, la démence étant l'un des plus importants. Cette situation est aggravée par les changements démographiques. En 2030, il y aura, en Amérique du Nord, plus de personnes de plus de 60 ans que de jeunes de moins de 15 ans, situation qui a cours déjà en Europe. Actuellement, 1,5 million d'Américains résident en maison de retraite, où on les considère souvent comme des patients plutôt que comme des résidents. En France, l'Organisation de coopération et de développement économiques (OCDE) estimait en 2005 que 7 % des gens âgés de 65 ans et plus étaient logés en maison de retraite[202].

Cette situation s'explique non seulement par la baisse du taux de mortalité et par la hausse de la longévité, mais aussi par une baisse de la fertilité. Le déficit démographique qui en résulte a des implications importantes pour nos économies et nos structures sociales. Les jeunes sont les principaux moteurs de l'activité économique, mais ils sont proportionnellement moins nombreux qu'auparavant, tandis que les personnes âgées ont davantage de besoins en matière de soins de santé et de pension de vieillesse, lesquels besoins s'étendent désormais sur des décennies plutôt que sur des années.

Pour préserver la santé de notre économie, il est impératif que nous nous montrions proactifs en la matière. Les gouvernements ont tout intérêt :

- à favoriser la fertilité, en soutenant financièrement les congés parentaux ainsi que les garderies à bas tarif et en adoptant des dispositions fiscales qui diminuent le fardeau financier des jeunes parents;

- à instituer des politiques d'immigration favorisant l'arrivée de jeunes dans nos sociétés;
- à autoriser les personnes plus âgées ayant une éducation supérieure et de grandes compétences à travailler jusqu'à un âge plus avancé et à prendre leur retraite plus tard;
- à adopter des politiques visant à réduire le risque de démence dans la population, à aider à sa prise en charge au moyen de campagnes de santé publique en commençant à l'adolescence, et à mettre au point des stratégies visant à favoriser la santé du cerveau;
- à adopter des politiques publiques appropriées permettant de réduire de façon significative les effets des maladies vasculaires, causes sous-jacentes de nombreuses maladies qui entraînent des coûts élevés, tant pour les particuliers que pour l'État, dont l'AVC, l'infarctus du myocarde, l'insuffisance rénale, de nombreuses affections pulmonaires et oculaires, de même que la démence. Le secteur de la santé ne peut résoudre à lui seul ce problème; cela exige des actions concertées de tous les secteurs;
- à investir dans la recherche, y compris en mettant sur pied des études menées au sein de la population afin d'accumuler de toute urgence une base de données probantes portant sur la diminution du risque de démence;
- à considérer la taxation comme un outil efficace dans la lutte contre la consommation d'aliments et de boissons très caloriques et nocifs, comme c'est le cas pour l'alcool et le tabac, dans le but de promouvoir et de protéger la santé de la population;
- à fournir un soutien fiscal permettant d'offrir un répit aux familles prenant soin à la maison d'un proche souffrant de démence, ce qui réduira les coûts associés au placement dans un établissement de soins de santé et permettra à l'aidant de continuer à travailler et à contribuer à l'économie;
- à considérer la possibilité de récompenser les gens qui sont actifs en offrant des incitatifs financiers tels qu'un abonnement sub-

ventionné dans un centre de conditionnement physique ou l'achat subventionné de bureaux permettant de travailler debout.

Il est possible d'agir efficacement ; certaines mesures couronnées de succès nous pavent la voie. Par exemple, des données des National Health and Nutrition Examination Surveys montrent que, en 2003, 39 % des enfants américains consommaient des plats-minute tous les jours comparativement à 33 % en 2009[203]. En résumé, il est de l'intérêt de tous que les autorités luttent contre les facteurs qui contribuent à affaiblir la population et qui, par conséquent, font exploser le coût des soins destinés aux personnes âgées.

La baisse du nombre de fumeurs, une véritable réussite en matière de politique publique, peut nous fournir des leçons sur les manières de nous y prendre. En effet, les politiques publiques se sont révélées particulièrement efficaces dans le passé en ce qui concerne le tabagisme. Il y a encore 44 millions d'Américains qui fument, mais 70 % d'entre eux disent vouloir cesser. En proportion, il y a en France 50 % plus de fumeurs qu'aux États-Unis[204]. Au Canada, le nombre de fumeurs est au plus bas niveau de son histoire. Cela résulte des efforts coordonnés des politiques publiques, qui ont lancé des campagnes montrant les dangers du tabac, ont interdit celui-ci dans bien des endroits publics ou en ont rendu l'usage malaisé, ont renforcé les inter- dits sur la publicité qui vantait les qualités et ont levé les taxes sur les cigarettes. Pour réduire le fardeau de la démence sur les particuliers et les finances de l'État, on gagnerait à adopter des politiques publiques semblables qui encourageraient les comportements influant positive- ment sur le cerveau. On estime que le coût direct de la démence en France sera de 41 milliards d'euros en 2050, un fardeau qui sera le triple du coût en 2010 mais qui sera épaulé par le nombre stable de citoyens actifs, estimé à 28 millions[205].

Il est nécessaire d'adopter une stratégie de santé publique nationale ciblant la démence. Le Canada est le seul pays du G8 à ne pas disposer d'une telle stratégie. Si nous persistons à ne pas le faire, nous devrons en payer le prix, certains estimant que, en 2040, les coûts associés au traitement de la démence s'élèveront annuellement à près de 300 milliards de dollars[206].

Les bases d'une telle stratégie seraient les suivantes :

1. Surveiller l'incidence de la démence afin d'ajuster la politique publique en conséquence.

2. Rendre légalement obligatoires les pratiques qui, à notre connaissance, font baisser les risques de maladies vasculaires, par exemple diminuer la teneur en sel des aliments transformés. La Californie, notamment, oblige les fabricants de boissons gazeuses à inscrire des avertissements sur leurs produits, tandis que le Mexique, la France et divers États américains les taxent. Les restaurants-minute, tout particulièrement, devraient afficher de manière visible le nombre de calories des plats qu'ils servent.

3. Inciter fortement les producteurs à indiquer la dépense énergétique qui sera nécessaire pour compenser la consommation d'une boisson donnée, en plus du nombre de calories qu'elle contient. Ainsi, on a prouvé que, pour réduire la consommation, il était plus efficace de convertir le nombre de calories d'une boisson gazeuse (250) en activité nécessaire pour les dépenser (marche de 8 km).

4. Former les médecins, de sorte qu'ils fassent la promotion d'un vieillissement sain du cerveau et informent les patients à cet égard. De plus en plus de médecins recommandent à leurs patients d'éviter l'obésité et d'adopter des pratiques de vie saines ; il faut les encourager à persister dans cette voie.

5. Inviter les gouvernements et les organisations caritatives s'occupant de maladies cardiovasculaires et de la maladie d'Alzheimer à travailler de concert afin que le public reçoive bien leur message. Ensemble, en achetant par exemple du temps d'antenne publicitaire, ils peuvent informer le public des mesures à prendre

pour réduire le risque de souffrir de démence et des moyens de les appliquer au quotidien.

6. Lever des taxes sur les aliments très caloriques. La taxation est un outil puissant dans le combat contre la consommation d'aliments caloriques bon marché et d'accès facile. Les mets semblables au burger Cronut dont il a été question précédemment sont un véritable danger pour la santé. La consommation régulière de ce genre de mets entraînera tôt ou tard des coûts pour le contribuable en raison des risques qu'il comporte pour la santé. De la même manière, le bacon recouvert de chocolat devrait être beaucoup plus cher ; son prix devrait tenir compte des coûts afférents liés à une maladie éventuelle.

7. Subventionner l'achat de brassards ou de manchons de prise de tension.

D'autres mesures sont aussi à envisager, qui entraînent des changements dans nos habitudes et nos comportements. Par exemple, dans bien des nouveaux quartiers, l'aménagement urbain ne permet pas de faire des promenades à pied. Une telle façon de faire élève le risque des maladies vasculaires, notamment l'hypertension, du fait que cela favorise un mode de vie sédentaire ainsi que l'apparition de l'obésité et du diabète. De plus, on réduit ainsi les possibilités de bavarder entre voisins, ce qui accroît le sentiment de solitude et d'isolement, facteurs qui contribuent grandement à la démence. Les constructeurs d'appartements en copropriété ont certainement réussi à loger de grands groupes de personnes dans de petits espaces. Toutefois, les municipalités devraient exiger que des dispositifs destinés à favoriser la santé soient inclus dans tous les plans des immeubles qu'on leur soumet, y compris des espaces pour marcher, un jardin communautaire, des équipements sportifs minimaux et des endroits dans lesquels établir des liens sociaux.

Le fait de diminuer l'incidence de la démence dans la population est un investissement, et non un coût. Il n'existe présentement aucun médicament permettant de guérir, de ralentir ou de renverser la démence, mais on peut faire certains gestes qui en retarderont l'apparition et en atténueront les effets. Bien sûr, le Trésor public sera mis à contribution, mais le retour sur l'investissement sera élevé, non seulement en ce qui concerne le bon fonctionnement et le plaisir des personnes, mais aussi en termes de coûts publics. La démence est désormais à l'ordre du jour des ministres de la Santé partout dans le monde, mais il faudrait en faire beaucoup plus.

Tant sur le plan social que sur les plans sanitaire et économique, les gouvernements doivent s'attaquer de façon imminente à ce défi et investir dans les mesures permettant de réduire les effets de cette maladie, qui prend des allures d'épidémie et va nous obliger à changer nos priorités en matière de soins de santé. Est-il préférable de planifier de manière proactive ou de faire du rattrapage une fois que l'épidémie nous aura atteints ? De toute évidence, poser la question, c'est déjà y répondre.

ANNEXES

EXERCICE D'ÉVALUATION VITE UTILISÉ POUR DÉTERMINER
SI QUELQU'UN FAIT UN AVC

APPRENEZ LES SIGNES DE L'AVC

VISAGE Est-il affaissé ?

INCAPACITÉ Pouvez-vous lever les deux bras normalement ?

TROUBLE DE LA PAROLE Trouble de prononciation ?

EXTRÊME URGENCE Composez le 9-1-1.

APPRENEZ À RECONNAÎTRE LES SIGNES. PLUS V I T E VOUS RÉAGISSEZ,
PLUS V I T E VOUS SAUVEZ LA PERSONNE.

ANNEXE 2

ÉLÉMENTS ESSENTIELS DU PROGRAMME DE SENSIBILISATION À LA SANTÉ CARDIOVASCULAIRE (PSSC)

1. Étendue du programme : à l'échelle de la collectivité
   - Programme implanté dans la communauté et visant à rejoindre tous ceux qui font partie du groupe cible (aînés de 65 ans ou plus).
   - Séances d'évaluation du risque cardiovasculaire offertes gratuitement.

2. Boucler la boucle : réseautage avec les fournisseurs de soins de santé appropriés
   - Médecins de famille, infirmières et pharmaciens impliqués dans l'invitation à suivre le programme et l'orientation des patients, et recevant la rétroaction à propos des résultats.

3. Lieu et emplacement accessibles, et continuité des soins
   - Séances hebdomadaires tenues dans les pharmacies (avec présence d'un professionnel de la santé).
   - Continuité des soins (soins intégrés) assurée grâce à des échanges entre les pharmaciens et les médecins de famille.

4. Tensiomètre et mesure précise de la pression artérielle
   - Emploi d'un tensiomètre homologué pour mesurer avec précision la pression (tel le BpTRU).
   - Bénévoles formés pour mesurer la pression artérielle avec précision.

5. Orientation du patient vers les services adéquats et suivi
   - Les résultats de la mesure de pression et le profil de risque de maladie chronique employés selon le protocole du PSSC, afin

de s'assurer que les participants aux séances du PSSC en pharmacie soient orientés vers les fournisseurs de soins de santé et les ressources appropriés.

6. Évaluation globale des facteurs de risque cardiovasculaire et information
- Maintenir l'évaluation globale des facteurs de risque.
- Viser à accroître la conscience des facteurs de risque de maladie chronique modifiables, dont la cardiopathie et l'AVC.
- Disponibilité des ressources et réseautage avec d'autres sources d'information et de programmes locaux, provinciaux et nationaux portant sur les facteurs de risque modifiables.

7. Rétroaction
- Transmission aux médecins de famille des résultats des séances de PSSC avec le consentement des participants :
  - Pour les participants à haut risque selon le protocole PSSC ;
  - Pour tous les participants avec le formulaire de rapport sommaire sur les résultats des participants au PSSC ;
  - Commentaires sur les résultats transmis aux médecins de famille.

8. Évaluation
- Traitement des données recueillies dans le but d'assurer une évaluation continue et d'améliorer la qualité du programme :
  - Succès de diverses stratégies de publicité/invitation ;
  - Données sur la participation, le consentement, les évaluations complétées ;
  - Évaluation des infirmières, consultations des pharmaciens, fax/appel aux médecins de famille le jour même ;
  - Rétroaction aux médecins de famille, aux pharmaciens et aux participants.

*Pour de plus amples renseignements, voir le *Guide d'implantation du PSSC* (www.chapprogram.ca).

ANNEXE 3

QUESTIONNAIRE SUR LA SANTÉ DU PATIENT-9 (QSP-9)

Au cours des deux dernières semaines, à quelle fréquence avez-vous été dérangé par les problèmes suivants? (Utilisez un «√» pour indiquer votre réponse.)	JAMAIS	PLUSIEURS JOURS	PLUS DE SEPT JOURS	PRESQUE TOUS LES JOURS
1. J'ai peu d'intérêt ou de plaisir à faire des choses.				
2. Je me sens triste, déprimé ou désespéré.				
3. J'ai de la difficulté à m'endormir, à rester endormi ou je dors trop.				
4. Je me sens fatigué ou j'ai peu d'énergie.				
5. J'ai peu d'appétit ou je mange trop.				
6. J'ai une mauvaise perception de moi-même ou je pense que je suis un perdant ou que je n'ai pas satisfait mes propres attentes ou celles de ma famille.				

7. J'ai de la difficulté à me concentrer dans le cadre d'activités comme lire le journal ou regarder la télévision.				
8. Je bouge ou je parle si lentement que les autres personnes l'ont remarqué. Ou au contraire, je suis si agité que je bouge beaucoup plus que d'habitude.				
9. J'ai pensé que je serais mieux mort ou j'ai pensé à me blesser d'une façon ou d'une autre.				

0 + _____ + _____ + _____ = score total : _____

Comptez o point pour chaque réponse cochée dans la première colonne ; 1 point dans la deuxième ; 2 points dans la troisième ; et 3 points dans la dernière colonne. Faites le total, lequel ne peut pas dépasser 27 points. Des résultats de 5, 10, 15 et 20 représentent respectivement un diagnostic de dépression mineure, modérée, modérément grave, puis majeure grave.

Comme vous le voyez, les réponses aux questions permettent de déterminer la gravité du problème. Le nombre total de points permettra d'établir un diagnostic provisoire et de recommander un traitement, comme il est indiqué ci-après.

RÉSULTATS DU QSP-9

NBRE DE POINTS AU QSP	DIAGNOSTIC PROVISOIRE	TRAITEMENT RECOMMANDÉ
0 à 4	Pas déprimé	
5 à 9	Symptômes minimes*	Soutenir, conseiller d'appeler en cas d'aggravation, retour dans 1 mois
10 à 14	Dépression mineure++ Dysthymie* Dépression majeure, légère	Soutien Antidépresseurs ou psychothérapie Antidépresseurs ou psychothérapie
15 à 19	Dépression majeure, modérément grave	Antidépresseurs ou psychothérapie
≥ 20	Dépression majeure, grave	Antidépresseurs et psychothérapie (particulièrement si aucune amélioration avec monothérapie)

* Si les symptômes sont présents durant ≥ deux ans, la probabilité d'une dépression chronique nécessitant la prise d'antidépresseurs ou la psychothérapie est élevée.

++ Si les symptômes sont présent durant ≥ un mois ou si des troubles de fonctionnement graves sont présents, considérer un traitement actif.

RÉFÉRENCES

1. J. M. Ortman, V. A. Velkoff et H. Hogan, « An aging nation : The older population in the United States population estimates and projection », *Current Population Reports*, mai 2014.

2. Statistique Canada, 2011.

3. Publié par Alzheimer's Disease International (ADI), Londres, octobre 2015. Copyright © Alzheimer's Disease International.

4. C. Gallez, *La prise en charge de la maladie d'Alzheimer et des maladies apparentées*, rapport, [France], Assemblée nationale, 2005, p. 50-58.

5. R. S. Wilson, P. A. Boyle, L. Yu, L. L. Barnes, J. A. Schneider et D. A. Bennett, « Life-span cognitive activity, neuropathologic burden, and cognitive aging », *Neurology*, vol. 81, n° 4, 2013, p. 314-321.

6. I. J. Dreary, A. J. Gow, M. D. Taylor, J. Corley, C. Brett, V. Wilson, H. Campbell, L. J. Whalley, P. M. Visscher, D. J. Porteous, et J. M. Starr, « The Lothian Birth Cohort 1936 : a study to examine influences on cognitive ageing from age 11 to age 70 and beyond » *BMC Geriatrics*, vol. 7, n° 28, 2007.

7. R. S. Wilson, P. A. Scherr, J. A. Schneider, Y. Tang et D. A. Bennett, « The relation of cognitive activity to risk of developing Alzheimer disease », *Neurology*, vol. 69, 2007, p. 1911-1920.

8. D. A. Snowdon, L. H. Greiner, J. A. Mortimer, K. P. Riley, P. A. Greiner et W. R. Markesbery, « Brain infarction and the clinical expression of Alzheimer disease. The Nun Study », *JAMA*, vol. 277, n° 10, 1997, p. 813-817.

9. S. Karcski. « Preventing Alzheimer disease with exercise ? », *Neurlogy*, vol. 78, n° 17, 2012, p. e110-e112.

10. S. Kuhn, T. Gleich, R. C. Lorenz, U. Lindenberger et J. Gallinat, « Playing Super Mario induces structural brain plasticity : Gray matter changes resulting from training with a commercial video game », *Molecular Psychiatry*, vol. 19, n° 2, 2014, p. 272.

11. R. S. Wilson, P. A. Boyle, L. Yu, L. L. Barnes, J. A. Schneider et D. A. Bennett, *loc. cit.*

12. S. Kesler, S. M. H. Hosseini, C. Heckler, M. Janelsins, O. Palesh, K. Mustian et G. Morrow, «Cognitive training for improving executive function in chemotherapy-treated breast cancer survivors», *Clinical Breast Cancer*, vol. 13, n°4, 2013, p. 299-306.

13. J. M. Harlow, «Recovery from the passage of an iron bar through the head», *Publications of the Massachusetts Medical Society*, vol. 2, n°3, 1868, p. 327-347.

14. P. Julayanont, M. Brousseau, H. Chertkow, N. Phillips et Z. S. Nasreddine, «Montreal Cognitive Assessment Memory Index Score (MoCA-MIS) as a predictor of conversion from mild cognitive impairment to Alzheimer's disease», *Journal of the American Geriatrics Society*, vol. 62, n°4, 2014, p. 679-684.

15. A. S. Rigaud, C. Bayle, F. Fagnani et F. Latour, «Patients with Alzheimer's disease living at home in France: costs and consequences of the disease», *Journal of Geriatric Psychiatry and Neurology*, vol. 16, n°3, 2003, p. 140-145.

16. A. Gow, M. Bastin, S. Munoz-Maniega, M. C. Valdes-Hernandez, Z. Morris, C. Murray, N. Royle, J. M. Starr, J. DearyI et J. M. Wardlaw, «Neuroprotective lifestyles and the aging brain. Activity, atrophy, and white matter integrity», *Neurology*, vol. 79, n°17, 2014, p. 1802-1808.

17. B. Milner, «The medial temporal-lobe amnesic syndrome», *The Psychiatric Clinics of North America*, vol. 28, n°3, 2005, p. 599-611, 609.

18. T. M. Perl, L. Bédard, T. Kosatsky, J. Hockin, E. C. D. Todd et R. S. Remis, «An outbreak of toxic encephalopathy caused by eating mussels contaminated with domoic acid», *New England Journal of Medicine*, vol. 322, n°25, 1990, p. 1775-1780.

19. J. S. Teitelbaum, R. J. Zatorre, S. Carpenter, D. Gendron, A. C. Evans, A. Gjedde et N. R. Cashman, «Neurologic sequelae of domoic acid intoxication due to the ingestion of contaminated mussels», *New England Journal of Medicine*, vol. 322, n°25, 1990, p. 1781-1787.

20. S. Maeshima, A. Osawa, F. Yamane, H. Shimaguchi, I. Ochiai, T. Yoshihara, N. Uemiya, R. Kanazawa et S. Ishihara, « Memory impairment caused by cerebral hematoma in the left medial temporal lobe due to ruptured posterior cerebral artery aneurysm », *BMC Neurology,* vol. 14, 44, 2014.

21. J. Lindesay, R. Bullock, H. Daniels, M. Emre, H. Förstl, L. Frölich, T. Gabryelewicz, P. Martínez-Lage, A. U. Monsch, M. Tsolaki et T. van Laar, « Turning principles into practice in Alzheimer's disease », *International Journal of Clinical Practice,* vol. 64, n°10, 2010, p. 1198-1209.

22. H. Agüero-Torres, M. Kivipelto et E. von Strauss, « Rethinking the dementia diagnoses in a population-based study: What is Alzheimer's disease and what is vascular dementia? », *Dementia and Geriatric Cognitive Disorders,* vol. 22, 2006, p. 244-249.

23. J. B. Toledo, S. E. Arnold, K. Raible et J. Brettschneider, « Contribution of cerebrovascular disease in autopsy confirmed neurodegenerative disease cases in the National Alzheimer's Coordinating Centre », *Brain,* vol. 136, 2013, p. 2697-2706.

24. R. N. Kalaria, R. Akinyemi et M. Ihara, « Stroke injury, cognitive impairment and vascular dementia », *Biochimica et Biophysica Acta - Molecular Basis of Disease,* vol. 1862, n°5, 2016, p. 915-925.

25. A. Shih, « The smallest stroke: occlusion of one penetrating vessel leads to infarction and a cognitive deficit », *Nature Neuroscience,* vol. 16, 2013, p. 55-63.

26. K. V. Papp, R. F. Kaplan, B. Springate, N. Moscufo, D. B. Wakefield, C. R. Guttmann et L. Wolfson, « Processing speed in normal aging: Effects of white matter hyperintensities and hippocampal volume loss », *Neuropsychology, Development, and Cognition. Section B, Aging, Neuropsychology and Cognition,* vol. 21, n°2, 2014, p. 197-213.

27. S. E. Vermeer, W. T. Longstreth Jr. et P. J. Koudstaal, « Silent brain infarcts: a systematic review », *Lancet Neurology,* vol. 6, n°7, 2007, p. 611-619.

28. R. O. Weller, H. Y. Yow, S. D. Preston, I. Mazanti et J. A. Nicoll, « Cerebrovascular disease is a major factor in the failure of elimination of Abeta from the aging human brain: implications for

therapy of Alzheimer's disease », *Annals of the New York Academy of Sciences,* vol. 977, 2002, p. 162-168.

29. S. N. Whitehead, V. C. Hachinski et D. F. Cechetto, « Interaction between a rat model of cerebral ischemia and beta-amyloid toxicity: inflammatory responses », *Stroke,* vol. 36. n°1, 2005, p. 107-112.

30. C. Iadecola, « The pathobiology of vascular dementia », *Neuron,* vol. 80, n°4, 2013, p. 844-866.

31. M.J. O'Donnell, D. Xavier, L. Liu, H. Zhang, S. L. Chin, P. Rao-Melacini, S. Rangarajan, S. Islam, P. Pais, M. J. McQueen, C. Mondo, A. Damasceno, P. Lopez-Jaramillo, G. J. Hankey, A. L. Dans, K. Yusoff, T. Truelsen, H.-C. Diener, R. L. Sacco, D. Ryglewicz, A. Czlonkowska, C. Weimar, X. Wang, S. Yusuf; INTERSTROKE investigators, « Risk factors for ischaemic and intracerebral haemorrhagic stroke in 22 countries (the INTERSTROKE study): a case-control study », *Lancet,* vol. 376, n°9735, 2010, p. 112-123.

32. M. Kivipelto, T. Ngandu, T. Laatikainen, B. Winblad, H. Soininen et J. Tuomilehto, « Risk score for the prediction of dementia risk in 20 years among middle aged people: a longitudinal, popula-tion-based study », *Lancet Neurology,* vol. 5, n°9, 2006, p. 735-741.

33. D. E. Barnes et K. Yaffe, « The projected effect of risk factor reduc-tion on Alzheimer's disease prevalence », *Lancet Neurology,* vol. 10, n°9, 2011, p. 819-828.

34. E. Bialystok, F. I. Craik et M. Freedman, « Bilingualism as a protection against the onset of symptoms of dementia », *Neuropsychologia,* vol. 45, n°2, 2007, p. 459-464.

35. D. Perani et J. Abutalebi, « Bilingualism, dementia, cognitive and neural reserve », *Current Opinion in Neurology,* vol. 28, n°6, 2015, p. 618-625.

36. F. G. Van Rooij, P. Schaapsmeerders, N. A. Maaijwee, D. A. van Duijnhoven, F. E. de Leeuw, R. P. Kessels et E. J. van Dijk, « Persistent cognitive impairment after transient ischemic attack », *Stroke,* vol. 45, n°8, 2014, p. 2270-2274.

37. A. S. Rajab, D. E. Crane, L. E. Middleton, A. D. Robertson, M. Hampson et B. J. MacIntosh, « A single session of exercise increases connectivity in sensorimotor-related brain networks:

a resting-state fMRI study in young healthy adults », *Frontiers in Human Neuroscience,* vol. 8, 2014, p. 625.

38. A. C. Tricco, C. Soobiah, S. Berliner, J. M. Ho, C. H. Ng, H. M. Ashoor, M. H. Chen, B. Hemmelgarn et S. E. Straus, « Efficacy and safety of cognitive enhancers for patients with mild cognitive impairment : a systematic review and meta-analysis », *Canadian Medical Association Journal,* vol. 185, n° 16, 2013, p. 1393-1401.

39. L. J. Launer, K. Masaki, H. Petrovitch, D. Foley et R. J. Havlik, « The association between midlife blood pressure levels and late-life cognitive function. The Honolulu-Asia Aging Study », *JAMA,* vol. 274, n° 23, 1995, p. 1846-1851.

40. M. Muller, S. Sigurdsoon, O. Kjartansson, T. Aspelund, O. L. Lopez, P. V. Jonnson, T. B. Harris, M. van Buchem, V. Gudnason et L. J. Launer, « Joint effect of mid- and late-life blood pressure on the brain. the Ages-Reykjavik study », *Neurology,* vol. 82, n° 24, 2014, p. 2187-2195.

41. World Health Organization, *Sugars intake for adults and children,* en ligne : who. int/nutrition/publications/guidelines/sugars_intake/en.

42. K. J. Anstey, C. von Sanden, A. Salim et R. O'Kearney, « Smoking as a risk factor for dementia and cognitive decline : a meta-analysis of prospective studies », *American Journal of Epidemiology,* vol. 166, n° 4, 2007, p. 367-378.

43. J. Neiman, « Alcohol as a risk factor for brain damage : neurologic aspects », *Alcoholism, Clinical and Experimental Research,* vol. 22, n° 7, 1998, p. 346S-351S.

44. A. T. Ginty, D. Carroll, T. J. Roseboom, A. C. Phillips et S. R. de Rooij, « Depression and anxiety are associated with a diagnosis of hypertension 5 years later in a cohort of late middle-aged men and women », *Journal of Human Hypertension,* vol. 27, n° 3, 2013, p. 187-190. doi : 10.1038/jhh.2012.18. Epub 17 mai 2012.

45. G. A. Wellenius, L. D. Boyle, B. A. Coull, W. P. Milberg, A. Gryparis, J. Schwartz, M. A. Mittleman et L. A. Lipsitz, « Residential proximity to nearest major roadway and cognitive function in

community-dwelling seniors : results from the MOBILIZE Boston Study », *Journal of the American Geriatrics Society,* vol. 60, n° 11, 2012, p. 2075-2080.

46. C. Tonne, A. Elbaz, S. Beevers et A. Singh-Manoux, « Traffic-related air pollution in relation to cognitive function in older adults », *Epidemiology,* vol. 25, n° 5, 2014, p. 674-681.

47. Z. A. Stokholm, J. P. Bonde, K. L. Christensen, A. M. Hansen et h. a. Kolstad, « Occupational noise exposure and the risk of hypertension », *Epidemiology,* vol. 24, n° 1, 2013, p. 135-142.

48. R. Vibo, L. Kõrv, M. Väli, K. Tomson, E. Piirsoo, S. Schneider et J. Kõrv, « Stroke awareness in two Estonian cities : better knowledge in subjects with advanced age and higher education », *European Neurology,* vol. 69, n° 2, 2013, p. 89-94.

49. C. Caffrey, M. Sengupta, E. Park-Lee, A. Moss, E. Rosenoff et L. Harris-Kojetin, « Residents living in residential care facilities : United States, 2010 », *NCHS Data Brief,* n° 91, 2012, p. 1-8.

50. H. Godet-Mardirossian, X. Girerd, M. Vernay, B. Chamontin, K. Castetbon et C. de Peretti, « Patterns of hypertension management in France », *European Journal of Preventive Cardiology,* vol. 19, n° 2, 2012, p. 213-220.

51. M. E. Lacruz, A. Kluttig, S. Hartwig, M. Löer, D. Tiller, K. H. Greiser, K. Werdan et J. Haerting, « Prevalence and incidence of hypertension in the general adult population : Results of the CARLA-Cohort Study », *Medicine* (Baltimore), vol. 94, n° 22, 2015, p. e952.

52. statcan. gc. ca/pub/82-625-x/2013001/article/11839-eng. htm.

53. F. H. Leenen, J. Dumais, N. H. McInnis, P. Turton, L. Stratychuk, K. Nemeth, M. Moy Lum-Kwong et G. Fodor, « Results of the Ontario survey on the prevalence and control of hypertension », *Canadian Medical Association Journal,* vol. 178, n° 11, 2008, p. 1441-1449. doi : 10.1503/cmaj.071340.

54. D. F. Roberts, U. G. Foehr et V. Rideout, *Generation M : Media in the lives of 8-18 year-olds,* The Henry J. Kaiser Family Foundation, A Kaiser Family Foundation Study, mars 2005. En ligne : kff. org/ other/generation-m-media-in-the-lives-of.

55. M. S. Tremblay, A. G. LeBlanc, M. E. Kho, T. J. Saunders, R. Larouche, R. C. Colley, G. Goldfield et S. Connor Gorber, « Systematic review of sedentary behaviour and health indicators in school-aged children and youth », *International Journal of Behavioral Nutrition and Physical Activity,* vol. 8, 2011, p. 98.

56. S. S. Yoon, V. Burt, T. Louis et M. D. Carroll, « Hypertension among adults in the United States, 2009-2010 », *NCHS Data Brief,* n° 107, 2012, p. 1-8.

57. V. Perkovic et A. Rodgers, « Redefining blood-pressure targets – SPRINT starts the marathon », *New England Journal of Medicine,* vol. 373, 2015, p. 2175-2178.

58. T. M. Frisoli, R. E. Schmieder, T. Grodzicki, F. H. Messerli, « Beyond salt: lifestyle modifications and blood pressure », *European Heart Journal,* vol. 32, 2011, p. 3081-3087.

59. I. Skoog, H. Lithell, L. Hansson, D. Elmfeldt, A. Hofman, B. Olofsson, P. Trenkwalder, A. Zanchetti; SCOPE Study Group, « Effect of baseline cognitive function and antihypertensive treatment on cognitive and cardiovascular outcomes: Study on Cognition and Prognosis in the Elderly (SCOPE) », *American Journal of Hypertension,* vol. 18, n° 8, 2005, p. 1052-1059.

60. I. Skoog, L. A. Andreasson, S. Landahl et B. Lernfelt, « A population-based study on blood pressure and brain atrophy in 85-year-olds », *Hypertension,* vol. 32, n° 3, 1998, p. 404-409.

61. R. Peters, N. Beckett, F. Forette, J. Tuomilehto, R. Clarke, C. Ritchie, A. Waldman, I. Walton, R. Poulter, S. Ma, M. Comsa, L. Burch, A. Fletcher, C. Bulpitt; HYVET investigators, « Incident dementia and blood pressure lowering in the Hypertension in the Very Elderly Trial cognitive function assessment (HYVET-COG): a double-blind, placebo controlled trial », *Lancet Neurology,* vol. 7, n° 8, 2008, p. 683-689.

62. E. Vinyoles, M. De la Figuera et D. Gonzalez-Segura, « Cognitive function and blood pressure control in hypertensive patients over 60 years of age: COGNIPRES study », *Current Medical Research and Opinion,* vol. 24, n° 12, 2008, p. 3331-3339.

63. M. G. Jaffe, G. A. Lee, J. D. Young, S. Sidney et A. S. Go, « Improved blood pressure control associated with a large-scale hypertension program », *JAMA,* vol. 310, n° 7, 2013, p. 699-705.

64. F. A. McAlister, K. Wilkins, M. Joffres, F. H. Leenen, G. Fodor, M. Gee, M. S. Tremblay, R. Walker, H. Johansen et N. Campbell, « Changes in the rates of awareness, treatment and control of hypertension in Canada over the past two decades », *Canadian Medical Association Journal,* vol. 183, n° 9, 2011, p. 1007-1013.

65. J. Kaczorowski, L. W. Chambers, L. Dolovich, J. M. Paterson, T. Karwalajtys, T. Gierman, B. Farrell, B. McDonough, L. thabane, K. Tu, B. Zagorski, R. Goeree, C. A. Levitt, W. Hogg, S. Laryea, M. A. Carter, D. Cross et R. J. Sabaldt, « Improving cardiovascular health at population level: 39 community cluster randomised trial of Cardiovascular Health Awareness Program (CHAP) », *BMJ,* vol. 342, 2011, p. d442.

66. Organisation de coopération et de développement économiques (OCDE), *L'obésité et l'économie de la prévention: Objectif santé – Indicateurs-clés en France,* mise à jour 2014. En ligne: oecd. org/els/ health-systems/obesity-update. htm.

67. B. M. Popkin, L. S. Adair et S. W. Ng, « Global nutrition transition and the pandemic of obesity in developing countries », *Nutrition Reviews,* vol. 70, n° 1, 2012, p. 3-21.

68. K. Castetbon, « L'évolution récente des prévalences de surpoids et d'obésité chez l'enfant et l'adolescent en France et au niveau international », *Archives de pédiatrie,* vol. 22, n° 1, 2015, p. 111-115.

69. Tableaux de Statistique Canada sur l'obésité, en ligne: statcan. gc. ca/pub/82-625-x/2012001/article/11664-fra. htm.

70. G. Plourde et D. Prud'homme, « Managing obesity in adults in primary care », *Canadian Medical Association Journal,* vol. 184, n° 9, 2012, p. 1039-1044.

71. E. S. Ford, A. H. Mokdad et W. H. Giles, « Trends in waist circumference among U.S. adults », *Obesity Research,* vol. 11, n° 10, 2003, p. 1223-1231.

72. R. A. Krukowski, D. S. West, A. Philyaw Perez, Z. Bursac, M. M. Phillips et J. M. Raczynski, « Overweight children, weight-based teasing and academic performance », *International Journal of Pediatric Obesity,* vol. 4, n° 4, 2009, p. 274-280.

73. V. Mikkilä, L. Räsänen, O. T. Raitakari, P. Pietinen et J. Viikari, « Consistent dietary patterns identified from childhood to adulthood: the cardiovascular risk in Young Finns Study », *British Journal of Nutrition,* vol. 93, n° 6, 2005, p. 923-931.

74. C. Szalay, M. Aradi, A. Schwarcz, G. Orsi, G. Perlaki, L. Németh, S. Hanna, G. Takács, I. Szabó, L. Bajnok, A. Vereczkei, T. Dóczi, J. Janszky, S. Komoly, P. Örs Horváth, L. Lénárd et Z. Karadi, « Gustatory perception alterations in obesity: An fMRI study », *Brain Research,* vol. 1473, 2012, p. 131-140.

75. W. Li, R. Prakash, D. Chawla, W. Du, S. P. Didion, J. A. Filosa, Q. Zhang, D. W. Brann, V. V. Lima, R. C. Tostes et A. Ergul. « Early effects of high-fat diet on neurovascular function and focal ischemic brain injury », *American Journal of Physiology. Regulatory, Integrative and Comparative Physiology,* vol. 304, n° 11, 2013, p. R1001-1008.

76. T. N. Akbaraly, M. Hamer, J. E. Ferrie, G. Lowe, G. D. Batty, G. Hagger-Johnson, A. Singh-Manoux, M. J. Shipley et M. Kivimäk, « Chronic inflammation as a determinant of future aging phenotype », *Canadian Medical Association Journal,* vol. 185, n° 16, 2013, p. E763-770.

77. P. W. Wilson, R. B. D'Agostino, L. Sullivan, H. Parise et W. B. Kannel, « Overweight and obesity as determinants of cardiovascular risk: the Framingham experience », *Archives of Internal Medicine,* vol. 162, 2002, p. 1867-1872.

78. L. J. Launer, G. W. Ross, H. Petrovitch, K. Masaki, D. Foley, L. R. White et R. J. Havlik, « Midlife blood pressure and dementia: the Honolulu-Asia aging study », *Neurobiology of Aging,* vol. 21, n° 1, 2000, p. 49-55.

79. W. L. Xu, A. R. Atti, M. Gatz, N. L. Pedersen, B. Johansson et L. Fratiglioni, « Midlife overweight and obesity increase late-life dementia risk: a population-based twin study », *Neurology,* vol. 76, n° 18, 2011, p. 1568-1574.

80.   S. Debette, A. Beiser, U. Hoffmann, C. Decarli, C. J. O'Donnell, J. M. Massaro, R. Au, J. J. Himali, P. A. Wolf, C. S. Fox et S. Seshadri, «Visceral fat is associated with lower brain volume in healthy middle-aged adult», *Annals of Neurology,* vol. 68, n° 2, 2010, p. 136-144.

81.   C. C. Huang, C. M. Chung, H. B. Leu, L. Y. Lin, C. C. Chiu, C. Y. Hsu, C. H. Chiang, P. H. Huang, T. J. Chen, S. J. Lin, J. W. Chen et W. L. Chan, «Diabetes mellitus and the risk of Alzheimer's disease : a nationwide population-based study», *PLoS One,* vol. 9, n° 1, 2014, p. e87095.

82.   A. A. Martin et T. L. Davidson, «Human cognitive function and the obesogenic environment», *Physiology and Behavior,* vol. 136, 2014, p. 185-193.

83.   L. Kerti, A. V. Witte, A. Winkler, U. Grittner, D. Rujescu et A. Flöel, «Higher glucose levels associated with lower memory and reduced hippocampal microstructure», *Neurology,* vol. 81, n° 2, 2013, p. 1746-1752.

84.   M. L. Alosco, M. B. Spitznagel, G. Strain, M. Devlin, R. Cohen, R. Paul, R. D. Crosby, J. E. Mitchell et J. Gunstad, «Improved memory function two years after bariatric surgery», *Obesity* (Silver Spring), vol. 22, n° 1, 2014, p. 32-38.

85.   nhlbi. nih. gov/files/docs/public/heart/new_dash. pdf.

86.   P. J. Smith, J. A. Blumenthal, M. A. Babyak, L. Craighead, K. A. Welsh-Bohmer, J. N. Browndyke, T. Strauman et A. Sherwood, «Effects of the dietary approaches to stop hypertension diet, exercise, and caloric restriction on neurocognition in overweight adults with high blood pressure», *Hypertension,* vol. 55, 2010, p. 1331-1338.

87.   N. Scarmeas, Y. Stern, R. Mayeux et J. A. Luchsinger, «Mediterranean diet, Alzheimer disease, and vascular mediation», *Archives of Neurology,* vol. 63, n° 12, 2006, p. 1709-1717.

88.   A. D. Liese, M. Nichols, X. Sun, R. B. D'Agostino Jr. et S. M. Haffner, «Adherence to the DASH Diet is inversely associated with incidence of type 2 diabetes : the insulin resistance atherosclerosis study», *Diabetes Care,* vol. 32, n° 8, 2009, p. 1434-1436.

89. M. Crous-Bou, T. T. Fung, J. Prescott, B. Julin, M. Du, Q. Sun, K. M. Rexrode, F. B. Hu et I. De Vivo, « Mediterranean diet and telomere length in Nurses' Health Study: population based cohort study », *BMJ*, vol. 349, 2014, p. g6674.

90. M. C. Otto, N. S. Padhye, A. G. Bertoni, D. R. Jacobs Jr. et D. Mozaffarian, « Everything in moderation—Dietary diversity and quality, central obesity and risk of diabetes », *PLoS One*, vol. 10, n° 10, 2015, p. e0141341.

91. L. Mosconi, J. Murray, W. H. Tsui, Y. Li, M. Davies, S. Williams, E. Pirraglia, N. Spector, R. S. Osorio, L. Glodzik, P. McHugh et M. J. de Leon, « Mediterranean diet and magnetic resonance imaging assessed brain atrophy in cognitively normal individuals at risk for Alzheimer's disease », *Journal of Prevention of Alzheimer's Disease*, vol. 1, n° 1, 2014, p. 23-32.

92. C. C. Tangney, « DASH and Mediterranean-type dietary patterns to maintain cognitive health », *Current Nutrition Reports*, vol. 3, n° 1, 2014, p. 51-61.

93. Y. Bao, J. Han, F. B. Hu, E. L. Giovannucci, M. J. Stampfer, W. C. Willett et C. S. Fuchs, « Association of nut consumption with total and cause-specific mortality », *New England Journal of Medicine*, vol. 369, n° 21, 2013, p. 2001-2011.

94. R. D. Mattes, P. M. Kris-Etherton et G. D. Foster, « Impact of peanuts and tree nuts on body weight and healthy weight loss in adults », *Journal of Nutrition*, vol. 138, n° 9, 2008, p. 1741S-1745S.

95. C. R. Daniel, A. J. Cross, C. Koebnick et R. Sinha, « Trends in meat consumption in the United States », *Public Health Nutrition*, vol. 14, n° 4, 2011, p. 575-583.

96. C. C. Chiu, K. P. Su, T. C. Cheng, H. C. Liu, C. J. Chang, M. E. Dewey, R. Stewart et S.Y. Huang, « The effects of omega-3 fatty acids monotherapy in Alzheimer's disease and mild cognitive impairment: a preliminary randomized double-blind placebo-controlled study », *Progress in Neuro-psychopharmacology and Biological Psychiatry*, vol. 32, n° 6, 2008, p. 1538-1544.

97. R. J. de Souza, A. Mente, A. Maroleanu, A. I. Cozma, V. Ha, T. Kishibe, E. Uleryk, P. Budylowski, H. Schünemann, J. Beyene

et S. S. Anand, « Intake of saturated and trans unsaturated fatty acids and risk of all cause mortality, cardiovascular disease, and type 2 diabetes: systematic review and meta-analysis of observational studies », *BMJ,* vol. 351, 2015, p. h3978.

98. C. A. Grimes, J. D. Wright, K. Liu, C. A. Nowson et C. M. Loria, « Dietary sodium intake is associated with total fluid and sugar-sweetened beverage consumption in US children and adolescents aged 2-18 y: NHANES 2005-2008 », *American Journal of Clinical Nutrition,* vol. 98, n° 1, 2013, p. 189-196.

99. P. Meneton, L. Lafay, A. Tard, A. Dufour, J. Ireland, J. Ménard et J. L. Volatier, « Dietary sources and correlates of sodium and potassium intakes in the French general population », *European Journal of Clinical Nutrition,* vol. 63, 2009, p. 1169-1175.

100. G. M. Singh, R. Micha, S. Khatibzadeh, P. Shi, S. Lim, K. G. Andrews, R. E. Engell, M. Ezzati, D. Mozaffarian; Global Burden of Diseases Nutrition and Chronic Diseases Expert Group (NutriCoDE), « Global, regional, and national consumption of sugar-sweetened beverages, fruit juices, and milk: A systematic assessment of beverage intake in 187 countries », *PLoS One,* vol. 10, n° 8, 2015, p. e0124845.

101. K. C. Mathias, M. M. Slining et B. M. Popkin, « Foods and beverages associated with higher intake of sugar-sweetened beverages », *American Journal of Preventive Medicine,* vol. 44, n° 4, 2013, p. 351-357.

102. InterAct Consortium, D. Romaguera, T. Norat, P. A. Wark, A. C. Vergnaud, M. B. Schulze, G. J. van Woudenbergh, D. Drogan, P. Amiano, E. Molina-Montes, M. J. Sánchez, B. Balkau, A. Barricarte, J. W. Beulens, F. Clavel-Chapelon, S. P. Crispim, G. Fagherazzi, P. W. Franks, V. A. Grote, I. Huybrechts, R. Kaaks, T. J. Key, K. T. Khaw, P. Nilsson, K. Overvad, D. Palli, S. Panico, J. R. Quirós, O. Rolandsson, C. Sacerdote, S. Sieri, N. Slimani, A. M. Spijkerman, A. Tjonneland, M. J. Tormo, R. Tumino, S. W. van den Berg, P. R. Wermeling, R. Zamara-Ros, E. J. Feskens, C. Langenberg, S. J. Sharp, N. G. Forouhi, E. Riboli et N. J. Wareham, « Consumption of sweet beverages and type 2 dia-

betes incidence in European adults: results from EPIC-InterAct »,
Diabetologia, vol. 56, no 7, 2013, p. 1520-1530.

103. G. M. Singh, R. Micha, S. Khatibzadeh, S. Lim, M. Ezzati,
D. Mozaffarian; Global Burden of Diseases Nutrition and Chronic
Diseases Expert Group (NutriCoDE), « Estimated global, regional,
and national disease burdens related to sugar sweetened beverage
consumption in 2010 », *Circulation,* vol. 132, no 8, 2015, p. 639-
666.

104. K. M. Pursey, P. Stanwell, A. N. Gearhardt, C. E. Collins et
T. L. Burrows, « The prevalence of food addiction as assessed by
the Yale Food Addiction Scale: a systematic review », *Nutrients,*
vol. 6, no 10, 2014, p. 4552-4590.

105. M. Ng, T. Fleming, M. Robinson, B. Thomson, N. Graetz,
C. Margono, E. C. Mullany, S. Biryukov, C. Abbafati, S. F.
Abera, J. P. Abraham, N. M. Abu-Rmeileh, T. Achoki, F. S.
AlBuhairan, Z. A. Alemu, R. Alfonso, M. K. Ali, R. Ali, N. A.
Guzman, W. Ammar, P. Anwari, A. Banerjee, S. Barquera,
S. Basu, D. A. Bennett, Z. Bhutta, J. Blore, N. Cabral, I. C. Nonato,
J. C. Chang, R. Chowdhury, K. J. Courville, M. H. Criqui, D. K.
Cundiff, K. C. Dabhadkar, L. Dandona, A. Davis, A. Dayama,
S. D. Dharmaratne, E. L. Ding, A. M. Durrani, A. Esteghamati,
F. Farzadfar, D. F. Fay, V. L. Feigin, A. Flaxman, M. H. Forouzanfar,
A. Goto, M. A. Green, R. Gupta, N. Hafezi-Nejad, G. J. Hankey,
H. C. Harewood, R. Havmoeller, S. Hay, L. Hernandez, A. Husseini,
B. T. Idrisov, N. Ikeda, F. Islami, E. Jahangir, S. K. Jassal, S. H. Jee,
M. Jeffreys, J. B. Jonas, E. K. Kabagambe, S. E. Khalifa, A. P.
Kengne, Y. S. Khader, Y. H. Khang, D. Kim, R. W. Kimokoti,
J. M. Kinge, Y. Kokubo, S. Kosen, G. Kwan, T. Lai, M. Leinsalu,
Y. Li, X. Liang, S. Liu, G. Logroscino, P. A. Lotufo, Y. Lu, J. Ma,
N. K. Mainoo, G. A. Mensah, T. R. Merriman, A. H. Mokdad,
J. Moschandreas, M. Naghavi, A. Naheed, D. Nand, K. M.
Narayan, E. L. Nelson, M. L. Neuhouser, M. I. Nisar, T. Ohkubo,
S. O. Oti, A. Pedroza, D. Prabhakaran, N. Roy, U. Sampson,
H. Seo, S. G. Sepanlou, K. Shibuya, R. Shiri, I. Shiue, G. M.
Singh, J. A. Singh, V. Skirbekk, N. J. Stapelberg, L. Sturua, B. L.

Sykes, M. Tobias, B. X. Tran, L. Trasande, H. Toyoshima, S. van de Vijver, T. J. Vasankari, J. L. Veerman, G. Velasquez-Melendez, V. V. Vlassov, S. E. Vollset, T. Vos, C. Wang, X. Wang, E. Weiderpass, A. Werdecker, J. L. Wright, Y. C. Yang, H. Yatsuya, J. Yoon, S. J. Yoon, Y. Zhao, M. Zhou, S. Zhu, A. D. Lopez, C. J. Murray, E. Gakidou, «Global, regional, and national prevalence of overweight and obesity in children and adults during 1980-2013: a systematic analysis for the Global Burden of Disease Study 2013», *Lancet,* vol. 384, n° 9945, 2014, p. 766-781.

106. G. R. Hunter, D. W. Brock, N. M. Byrne, P. C. Chandler-Laney, P. Del Corral et B. A. Gower, «Exercise training prevents regain of visceral fat for 1 year following weight loss», *Obesity* (Silver Spring), vol. 18, n° 4, 2010, p. 690-695.

107. L. J. Appel, J. M. Clark, H. C. Yeh, N. Y. Wang, J. W. Coughlin, G. Daumit, E. R. Miller III, A. Dalcin, G. J. Jerome, S. Geller, G. Noronha, T. Pozefsky, J. Charleston, J. B. Reynolds, N. Durkin, R. R. Rubin, T. A. Louis et F. L. Brancati, «Comparative effectiveness of weight-loss interventions in clinical practice», *New England Journal of Medicine,* vol. 365, n° 21, 2011, p. 1959-1968.

108. T. Deckersbach, S. K. Das, L. E. Urban, T. Salinardi, P. Batra, A. M. Rodman, A. R. Arulpragasam, D. D Dougherty et S. B. Roberts, «Pilot randomized trial demonstrating reversal of obesity-related abnormalities in reward system responsivity to food cues with a behavioral intervention», *Nutrition and Diabetes,* vol. 4, 2014, p. e129.

109. A. Tal et B. Wansink, «Fattening fasting: hungry grocery shoppers buy more calories, not more food», *JAMA Internal Medicine,* vol. 173, n° 12, 2013, p. 1146-1148.

110. R. An, «Beverage consumption in relation to discretionary food intake and diet quality among US adults, 2003 to 2012», *Journal of the Academy of Nutrition and Dietetics,* vol. 116, n° 1, 2016, p. 28-37.

111. E. Robinson, E. Almiron-Roig, F. Rutters, C. de Graaf, C. G. Forde, C. Tudur Smith, S. J. Nolan et S. A. Jebb, «A systematic review and meta-analysis examining the effect of eating rate on

energy intake and hunger », *American Journal of Clinical Nutrition*, vol. 100, n° 1, 2014, p. 123-151.

112. M. Shah, J. Copeland, L. Dart, B. Adams-Huet, A. James et D. Rhea, « Slower eating speed lowers energy intake in normal-weight but not overweight/obese subjects », *Journal of the Academy of Nutrition and Dietetics*, vol. 114, n° 3, 2014, p. 393-402.

113. M. Saidj, M. Menai, H. Charreire, C. Weber, C. Enaux, M. Aadahl, E. Kesse-Guyot, S. Hercberg, C. Simon et J. M. Oppert, « Descriptive study of sedentary behaviours in 35,444 French working adults : cross-sectional findings from the ACTI-Cités study », *BMC Public Health*, vol. 15, 2015, p. 379.

114. R. Buehler, J. Pucher, D. Merom et A. Bauman, « Active travel in Germany and the U.S. Contributions of daily walking and cycling to physical activity », *American Journal of Preventive Medicine*, vol. 41, n° 3, 2011, p. 241-250.

115. J. Gallagher, « Quarter of adults walk just an hour a week, survey finds », BBC, 6 mai 2013, bbc. com/news/health-22401589.

116. J. Gallagher, « Office workers "too sedentary" », BBC, 27 mars 2015, bbc. com/news/health-32069698.

117. D. A. Donley, S. B. Fournier, B. L. Reger, E. DeVallance, D. E. Bonner, I. M. Olfert, J. C. Frisbee et P. D. Chantler, « Aerobic exercise training reduces arterial stiffness in metabolic syndrome », *Journal of Applied Physiology*, vol. 116, n° 11, 2014, p. 1396-1404.

118. B. J. Jefferis, P. H. Whincup, O. Papacosta et S. G. Wannamethee, « Protective effect of time spent walking on risk of stroke in older men », *Stroke*, vol. 45, n° 1, 2014, p. 194-199.

119. C. D. Wrann, J. P. White, J. Salogiannnis, D. Laznik-Bogoslavski, J. Wu, D. Ma, J. D. Lin, M. E. Greenberg et B. M. Spiegelman, « Exercise induces hippocampal BDNF through a PGC-1a/FNDC5 pathway », *Cell Metabolism*, vol. 18, n° 5, 2013, p. 649-659.

120. M. Polyakova, K. Stuke, K. Schuemberg, K. Mueller, P. Schoenknecht et M. L. Schroeter, « BDNF as a biomarker for successful treatment of mood disorders : a systematic & quantitative meta-analysis », *Journal of Affective Disorders*, vol. 174, 2015, p. 432-440.

121. G. L. Jennings, L. Nelson, M. D. Esler, P. Leonard et P. I. Korner, «Effects of changes in physical activity on blood pressure and sympathetic tone», *Journal of Hypertension, Supplement*, vol. 2, n° 3, 1984, p. S139-141.

122. A. Singh, L. Uijtdewilligen, J. W. Twisk, W. van Mechelen et M. J. Chinapaw, «Physical activity and performance at school: a systematic review of the literature including a methodological quality assessment», *Archives of Pediatrics and Adolescent Medicine*, vol. 166, n° 1, 2012, p. 49-55.

123. A. J. Gow, M. E. Bastin, S. Muñoz Maniega, M. C. Valdés Hernández, Z. Morris, C. Murray, N. A. Royle, J. M. Starr, I. J. Deary et J. M. Wardlaw, «Neuroprotective lifestyles and the aging brain: activity, atrophy, and white matter integrity», *Neurology*, vol. 79, n° 17, 2012, p. 1802-1808.

124. L. F. Defina, B. L. Willis, N. B. Radford, A. Gao, D. Leonard, W. L. Haskell, M. F. Weiner et J. D. Berry, «The association between midlife cardiorespiratory fitness levels and later-life dementia: a cohort study», *Annals of Internal Medicine*, vol. 158, n° 3, 2013, p. 162-168.

125. T. Fullston, E. M. Ohlsson Teague, N. O. Palmer, M. J. DeBlasio, M. Mitchell, M. Corbett, C. G. Print, J. A. Owens et M. Lane, «Paternal obesity initiates metabolic disturbances in two generations of mice with incomplete penetrance to the F2 generation and alters the transcriptional profile of testis and sperm microRNA content», *FASEB Journal*, vol. 27, n° 10, 2013, p. 4226-4243.

126. S. B. Chapman, S. Aslan, J. S. Spence, L. F. Defina, M. W. Keebler, N. Didehbani et H. Lu, «Shorter term aerobic exercise improves brain, cognition, and cardiovascular fitness in aging», *Frontiers in Aging Neuroscience*, vol. 5, 2013, p. 75.

127. J. C. Smith, K. A. Nielson, P. Antuono, J. A. Lyons, R. J. Hanson, A. M. Butts, N. C. Hantke et M. D. Verber, «Semantic memory functional MRI and cognitive function after exercise intervention in mild cognitive impairment», *Journal of Alzheimer's Disease*, vol. 37, n° 1, 2013, p. 197-215.

128. L. F. ten Brinke, N. Bolandzadeh, L. S. Nagamatsu, C. L. Hsu, J. C. Davis, K. Miran-Khan et T. Liu-Ambrose, «Aerobic exercise increases hippocampal volume in older women with probable mild cognitive impairment: a 6-month randomised controlled trial», *British Journal of Sports Medicine*, vol. 49, n° 4, 2015, p. 248-254.

129. R. Naqvi, «Preventing cognitive decline in healthy older adults», *Canadian Medical Association Journal*, vol. 185, n° 10, 2013, p. 881-885.

130. T. Liu-Ambrose, L. S. Nagamatsu, P. Graf, B. L. Beattie, M. C. Ashe et T. C. Handy, «Resistance training and executive functions: a 12-month randomized controlled trial», *Archives of Internal Medicine*, vol. 170, n° 2, 2010, p. 170-178.

131. L. S. Nagamatsu, A. Chan, J. C. Davis, B. L. Beattie, P. Graf, M. W. Voss, D. Sharma et T. Liu-Ambrose, «Physical activity improves verbal and spatial memory in older adults with probable mild cognitive impairment: A 6-month randomized controlled trial», *Journal of Aging Research*, vol. 2013, 2013.

132. C. C. de Araújo, J. D. Silva, C. S. Samary, I. H. Guimarães, P. S. Marques, G. P. Oliveira, G. R. R. do Carmo, R. C. Goldenberg, I. Bakker-Abreu, B. L. Diaz, N. N. Rocha, V. L. Capelozzi, P. Pelosi et P. R. M. Rocco, «Regular and moderate exercise before experimental sepsis reduces the risk of lung and distal organ injury», *Journal of Applied Physiology*, vol. 112, n° 7, 2012, p. 1206-1214.

133. A. Chudyk et R. J. Petrella, «Effects of exercise on cardiovascular risk Factors in type 2 diabetes: A meta-analysis», *Diabetes Care*, vol. 34, n° 5, 2011, p. 1228-1237.

134. V. Suchert, R. Hanewinkel et B. Isensee, «Sedentary behavior and indicators of mental health in school-aged children and adolescents: A systematic review», *Preventive Medicine*, vol. 76, 2015, p. 48-57.

135. «Keep fit by finding what you love. Health Advisor», *The Globe and Mail*, 22 janvier 2014.

136. K. A. Bourgomaster, G. J. Heigenhauser et M. J. Gibala, «Effect of short-term sprint interval training on human skeletal muscle carbohydrate metabolism during exercise and time trial performance», *Journal of Applied Physiology*, vol. 100, n° 6, 2006, p. 2041-2047.

137. M. Miyashita, S. F. Burns et D.J. Stensel, « Accumulating short bouts of brisk walking reduces postprandial plasma triacylglycerol concentrations and resting blood pressure in healthy young men », *American Journal of Clinical Nutrition*, vol. 88, n° 5, 2008, p. 1225-1231.

138. P. J. Smith, J. A. Blumental, M. A. Babyak, L. Craighead, K. A. Welsh-Bohmer, J. N. Browndyke, T. A. Strauman et A. Sherwood, « Effects of the dietary approaches to stop hypertension diet, exercise, and caloric restriction on neurocognition in overweight adults with high blood pressure », *Hypertension*, vol. 55, n° 6, 2010, p. 1331-1338.

139. T. Ngandu, J. Lehtisalo, A. Solomon, E. Levälahti, S. Ahtiluoto, R. Antikainen, L. Bäckman, T. Hänninen, A. Jula, T. Laatikainen, J. Lindström, F. Mangialasche, T. Paajanen, S. Pajala, M. Peltonen, R. Rauramaa, A. Stigsdotter-Neely, T. Strandberg, J. Tuomilehto, H. Soininen et M. Kivipelto, « A 2 year multidomain intervention of diet, exercise, cognitive training, and vascular risk monitoring versus control to prevent cognitive decline in at-risk elderly people (FINGER) : a randomized controlled trial », *Lancet*, vol. 385, n° 9984, 2015, p. 2255-2263.

140. L. Xie, H. Kang, Q. Xu, M. J. Chen, Y. Liao, M. Thiyagarajan, J. O'Donnell, D. J. Christensen, C. Nicholson, J. J. Iliff, T. Takano, R. Deane et M. Nedergaard, « Sleep drives metabolite clearance from the adult brain », *Science*, vol. 342, n° 6156, 2013, p. 373-377.

141. M. Bellesi, M. Pfister-Genskow, S. Maret, S. Keles, G. Tononi et C. Cirelli, « Effects of sleep and wake on oligodendrocytes and their precursors », *Journal of Neuroscience*, vol. 33, n° 36, 2013, p. 14288-14300.

142. K. L. Knutson, « Impact of sleep and sleep loss on glucose homeostasis and appetite regulation », *Sleep Medicine Clinics*, vol. 2, n° 2, 2007, p. 187-197.

143. J. A. Owens, A. Spirito, M. McGuinn et C. Nobile, « Sleep habits and sleep disturbance in elementary school-aged children », *Journal of Developmental and Behavioral Pediatrics*, vol. 4, n° 2, 2000, p. 67-78.

144. C. E. Sexton, A. B. Storsve, K. B. Walhovd, H. Johansen-Berg et A. M. Fjell, « Poor sleep quality is associated with increased cor-

tical atrophy in community-dwelling adults », *Neurology,* vol. 83, n° 11, 2014, p. 967-973.

145. T. Abel, R. Havekes, J. M. Saletin et M. P. Walker, « Sleep, plasticity and memory from molecules to whole-brain networks », *Current Biology,* vol. 23, n° 17, 2013, p. R774-788.

146. A. Winsler, A. Deutsch, R. D. Vorona, P. A. Payne et M. Szklo-Coxe, « Sleepless in Fairfax : the difference one more hour of sleep can make for teen hopelessness, suicidal ideation, and substance use », *Journal of Youth and Adolescence,* vol. 44, n° 2, 2015, p. 362-378.

147. G. Tinguely, H. P. Landolt et C. Cajochen, « [Sleep habits, sleep quality and sleep medicine use of the Swiss population result] », *Therapeutische Umschau,* vol. 71, n° 11, 2014, p. 637-646.

148. A. L. Gamble, A. L. D'Rozario, D. J. Bartlett, S. Williams, Y. S. Bin, R. R. Grunstein et N. S. Marshall, « Adolescent sleep patterns and night-time technology use : Results of the Australian Broadcasting Corporation's Big Sleep Survey », *PLoS One,* vol. 9, n° 11, 2014, p. e111700.

149. P. A. Kirschner et A. C. Karpinski, « Facebook® and academic performance », *Computers in Human Behavior,* vol. 26, n° 6, 2010, p. 1237-1245.

150. A. S. Lim, M. Kowgier, L. Yu, A. S. Buchman et D. A. Bennett, « Sleep fragmentation and the risk of incident Alzheimer's disease and cognitive decline in older persons », *Sleep,* vol. 36, n° 7, 2013, p. 1027-1032.

151. R. P. Gelber, S. Redline, G. W. Ross, H. Petrovitch, J. A. Sonnen, C. Zarow, J. H. Uyehara-Lock, K. H. Masaki, L. J. Launer et L. R. White, « Associations of brain lesions at autopsy with polysomnography features before death », *Neurology,* vol. 84, n° 3, 2015, p. 296-303.

152. R. S. Osorio, T. Gumb, E. Pirraglia, A. W. Varga, S. E. Lu, J. Lim, M. E. Wohlleber, E. L. Ducca, V. Koushyk, L. Glodzik, L. Mosconi, I. Ayappa, D. M. Rapoport et M. J. de Leon, « Sleep disordered breathing advances cognitive decline in the elderly », *Neurology,* vol. 84, n° 19, 2015, p. 1964-1971.

153. L. Mastin, *Sleep – What it is – how it works – why we do it – what can go wrong,* © 2013 Luke Mastin, howsleepworks. com/types_cycles. html.

154. Y. Guang, C. S. W. Lai, J. Cichon, L. Ma, W. Li et W.-B. Gan, « Sleep promotes branch specific formation of dendritic spines after learning », *Science,* vol. 344, n° 6188, 2014, p. 1173-1178, a 13:12.

155. L. C. Hawkley et J. Cacioppo, « Loneliness matters : A theoretical and empirical review of consequences and mechanisms », *Annals of Behavioral Medicine,* vol. 40, n° 2, 2010, p. 218-227.

156. H. Gilmour, « Social participation and the health and well-being of Canadian seniors », *Health Reports,* vol. 23, n° 4, 2012, p. 23-32.

157. Vancouver Foundation, *Connections and Engagement. A Survey of metro Vancouver,* juin 2012. En ligne : vancouverfoundation. ca/ sites/default/files/documents/VanFdn-SurveyResults-Report. pdf.

158. M. Herbet, « Le fléau de la solitude s'empare des Français », *Le Figaro,* 1er juillet 2010.

159. G. Livingston, « Survey says : We're stressed (and not loving it) », *The Globe and Mail,* 2 février 2015, theglobeandmail. com/ report-on-business/careers/career-advice/life-at-work/survey-says-were-stressed-and-not-loving-it/article22722102.

160. *Les solitudes en France,* rapport de la Fondation de France, 2014.

161. M. E. Dupre, L. K. George, G. Liu et E. D. Peterson, « Association between divorce and risks for acute myocardial infarction », *Circulation, Cardiovascular Quality and Outcomes,* vol. 8, n° 3, 2015, p. 244-251.

162. E. Kross, P. Verduyn, E. Demiralp, J. Park, D. S. Lee, N. Lin, H. Shablack, J. Jonides et O. Ybarra, « Facebook use predicts declines in subjective well-being in young adults », *PLoS One,* vol. 8, n° 8, 2013, p. e69841.

163. L. Fratiglioni, S. Paillard-Borg et B. Winblad, « An active and socially integrated lifestyle in late life might protect against dementia », *Lancet Neurology,* vol. 3, n° 6, 2004, p. 343-353.

164. T. J. Holwerda, D. J. Deeg, A. T. Beekman, T. G. van Tilburg, M. L. Stek, C. Jonker et R. A. Schoevers, « Feelings of loneliness,

but not social isolation, predict dementia onset : results from the Amsterdam Study of the Elderly (AMSTEL) », *Journal of Neurology, Neurosurgery and Psychiatry,* vol. 85, n° 2, 2014, p. 135-142.

165. J. Holt-Lunstad, T. B. Smith et J. B. Layton, « Social relationships and mortality risk : a meta-analytic review », *PLoS Medicine,* vol. 7, n° 7, 2010, p. e1000316.

166. A. Britton et M. J. Shipley, « Bored to death ? », *International Journal of Epidemiology,* vol. 39, n° 2, 2010, p. 370-371.

167. C. Dufouil, E. Pereira, G. Chêne, M. M. Glymour, A. Alpérovitch, E. Saubusse, M. Risse-Fleury, B. Heuls, J. C. Salord, M. A. Brieu et F. Forette, « Older age at retirement is associated with decreased risk of dementia », *European Journal of Epidemiology,* vol. 29, 2014, p. 253-261.

168. *Older Workers,* US Department of Labor, Bureau of Labor Statistics, juillet 2008.

169. « Living to 109, gerontologist Sister Constance Murphy was a whirlwind of energy », *The Globe and Mail,* 12 septembre 2013.

170. N. D. Anderson, T. Damianakis, E. Kröger, L. M. Wagner, D. R. Dawson, M. A. Binns, S. Bernstein, E. Caspi et S. L. Cook, « The benefits associated with volunteering among seniors : A critical review and recommendations for future research », *Psychological Bulletin,* vol. 140, n° 6, 2014, p. 1505-1533.

171. E. Renzetti, « Life of solitude : A loneliness crisis is looming », *The Globe and Mail,* 23 novembre 2013, theglobeandmail. com/life/life-of-solitude-a-loneliness-crisis-is-looming/article15573187/?page=all.

172. World Society for the Protection of Animals (2008) Survey.

173. M. Windle et R. Windle, « Recurrent depression, cardiovascular disease, and diabetes among middle-aged and older adult women », *Journal of Affective Disorders,* vol. 150, n° 3, 2013, p. 895-902.

174. J. Holt-Lunstad, T. B. Smith, M. Baker, T. Harris et D. Stephenson, « Loneliness and social isolation as risk factors for mortality : A meta-analytic review », *Perspectives on Psychological Science,* vol. 10, n° 2, 2015, p. 227-237.

175. D. A. Sclar, L. M. Robison, T. L. Skaer et R. S. Galin, « Ethnicity and the prescribing of antidepressant pharmacotherapy: 1992-1995 », *Psychiatry,* vol. 7, n° 1, 1999, p. 29-36.

176. K. Kroenke, R. Spitzer et J. Williams, « The PHQ-9: validity of a brief depression severity measure », *Journal of General Internal Medicine,* vol. 16, 2001, p. 606-613.

177. Bureau of Labour Statistics, *American Time Use Survey,* Charts by topic: Leisure and sports activities, bls. gov/TUS/CHARTS/LEISURE. HTM.

178. Fondation de France, *2010-2014: les Français de plus en plus seuls. La Fondation de France publie son rapport annuel sur les Solitudes et apporte des réponses,* Paris, 7 juillet 2014.

179. R. J. Zatorre et V. N. Salimpoor, « From perception to pleasure: music and its neural substrates », *Proceedings of the National Academy of Sciences of the Unites States of America,* vol. 110, n° 2, 2013, p. 10430-10437.

180. P. Ripollés, N. Rojo, J. Grau-Sánchez, J. L. Amengual, E. Càmara, J. Marco-Pallarés, M. Juncadella, L. Vaquero, F. Rubio, E. Duarte, C. Garrido, E. Altenmüller, T. F. Münte et A. Rodríguez-Fornells, « Music supported therapy promotes motor plasticity in individuals with chronic stroke », *Brain Imaging and Behavior,* 2015, p. 1-19.

181. B. Hanna-Pladdy et B. Gajewski, « Recent and past musical activity predicts cognitive aging variability: Direct comparison with general lifestyle activities », *Frontiers in Human Neuroscience,* vol. 6, 2012, p. 198.

182. J. Ericson, « How music strengthens the heart: 30 minutes a day improves cardiovascular function, exercise capacity by 19 percent », *Medical Daily,* 2 septembre 2013.

183. T. Särkämö, M. Tervaniemi, S. Laitinen, A. Numminen, M. Kurki, J. K. Johnson et P. Rantanen, « Cognitive, emotional, and social benefits of regular musical activities in early dementia: randomized controlled study », *Gerontologist,* vol. 54, n° 4, 2014, p. 634-650.

184. C. W. Hughes, M. H. Trivedi, J. Cleaver, T. L. Greer, G. J. Emslie, B. Kennard, S. Dorman, T. Bain, J. Dubreuil et C. Barnes, « DATE:

Depressed adolescents treated with exercise: Study rationale and design for a pilot study », *Mental Health and Physical Activity*, vol. 2, n° 2, 2009, p. 76-85.

185. S. Clift et G. Hancox, « The significance of choral singing for sustaining psychological wellbeing: findings from a survey of choristers in England, Australia and Germany », *Music Performance Research*, Royal Northern College of Music, numéro spécial *Music and Health*, vol. 3, n° 1, 2010, p. 79-96.

186. A. S. Evrard, L. Bouaoun, P. Champelovier, J. Lambert et B. Laumon, « Does exposure to aircraft noise increase the mortality from cardiovascular disease in the population living in the vicinity of airports? Results of an ecological study in France », *Noise Health*, vol. 17, n° 78, 2015, p. 328-336.

187. Y. Aydin et M. Kaltenbach, « Noise perception, heart rate and blood pressure in relation to aircraft noise in the vicinity of the Frankfurt airport », *Clinical Research in Cardiology*, vol. 96, n° 6, 2007, p. 347-358.

188. D. C. Steffens, K. A. Welsh-Bohmer, J. R. Burke, B. L. Plassman, J. L. Beyer, K. R. Gersing et G. G. Potter, « Methodology and preliminary results from the neurocognitive outcomes of depression in the elderly study », *Journal of Geriatric Psychiatry and Neurology*, vol. 17, n° 4, 2004, p. 202-211.

189. S. Köhler, M. P. van Boxtel, J. van Os, A. J. Thomas, J. T. O'Brien, J. Jolles, F. R. Verhey et J. Allardyce, « Depressive symptoms and cognitive decline in community-dwelling older adults », *Journal of the American Geriatrics Society*, vol. 58, n° 5, 2010, p. 873-879.

190. J. E. Verhoeven, P. van Oppen, D. Révész, O. M. Wolkowitz et B. W. Penninx, « Depressive and anxiety disorders showing robust, but non-dynamic, 6-year longitudinal association with short leukocyte telomere length », *American Journal of Psychiatry*, 4 mars 2016 [diffusion en ligne avant l'impression]. doi: 10.1176/appi.ajp.2015.1507088.

191. L. Wang, C. O. Leonards, P. Sterzer et M. Ebinger, « White matter lesions and depression: a systematic review and meta-analysis », *Journal of Psychiatric Research*, vol. 56, 2014, p. 56-64.

192. H. J. Aizenstein, C. Andreescu, K. L. Edelman, J. L. Cochran, J. Price, M. A, Butters, J. Karp, M. Patel et C. F. Reynolds 3rd, « fMRI correlates of white matter hyperintensities in late-life depression », *American Journal of Psychiatry,* vol. 168, n° 10, 2011, p. 1075-1082.

193. A. M. Hakim, « Depression, strokes and dementia : new biological insights into an unfortunate pathway », *Cardiovascular Psychiatry and Neurology,* vol. 2011, 2011. doi : 10.1155/2011/649629, 6 pages.

194. A. C. Wosu, U. Valdimarsdóttir, A. E. Shields, D. R. Williams et M. A. Williams, « Correlates of cortisol in human hair : implications for epidemiologic studies on health effects of chronic stress », *Annals of Epidemiology,* vol. 23, n° 12, 2013, p. 797-811.

195. S. Cacioppo, M. Bangee, S. Balogh, C. Cardenas-Iniguez, P. Qualter et J. T. Cacioppo, « Loneliness and implicit attention to social threat : A high-performance electrical neuroimaging study », *Cognitive Neuroscience,* 14 août 2015 [diffusion en ligne avant l'impression], p. 1-22.

196. R. Dantzer, J. C. O'Connor, G. G. Freund, R. W. Johnson et K. W. Kelley, « From inflammation to sickness and depression : when the immune system subjugates the brain », *Nature Reviews. Neuroscience,* vol. 9, n° 1, 2008, p. 46-56.

197. P. B. Gorelick, S. E. Counts et D. Nyenhuis, « Vascular cognitive impairment and dementia », vol. 42, n° 9, 2011, p. 2672-2713.

198. A. Rosengren, I. Skoog, D. Gustafson et L. Wilhelmsen, « Body mass index, other cardiovascular risk factors, and hospitalization for dementia », *Archives of Internal Medicine,* vol. 165, n° 3, 2005, p. 321-326.

199. F. H. Rauscher, G. L. Shaw et K. N. Ky, « Music and spatial task performance », *Nature,* vol. 365, n° 6447, 1993, p. 611.

200. Canadian Institute for Health Information, *Potentially Inappropriate Use of Antipsychotics in Long-Term Care,* 2015.

201. C. L. Ogden, M. D. Carroll, B. K. Kit et K. M. Flegal, « Prevalence of childhood and adult obesity in the United States, 2011-2012 », *JAMA,* vol. 311, n° 8, 2014, p. 806-814.

202. Organisation for Economic Co-operation and Development (OECD), *Long-term Care, France,* 2011, en ligne: oecd. org/france/47902097.pdf.

203. C. D. Rehm et A. Drewnowski, « Trends in energy Intakes by type of fast food restaurant among US », *JAMA Pediatrics,* vol. 169, n° 5, 2015, p. 502-504.

204. Global Health Observatory data, *Prevalence of Tobacco Use,* World Health Organization, 2016.

205. T. Mura, J. F. Dartigues et C. Berr, « How many dementia cases in France and Europe? Alternative projections and scenarios 2010-2050 », *European Journal of Neurology,* vol. 17, n° 2, 2010, p. 252-259.

206. M. Oremus et S. C. Aguilar, « A systematic review to assess the policy-making relevance of dementia cost-of-illness studies in the US and Canada », *Pharmacoeconomics,* vol. 29, n° 2, 2011, p. 141-156.

REMERCIEMENTS

Je voudrais tout d'abord remercier mes patients, qui ont partagé avec moi, au fil des ans, leurs problèmes médicaux et leurs inquiétudes à propos de leur acuité mentale. Ils m'ont beaucoup appris.

Je voudrais aussi remercier ma famille, qui a supporté avec patience mon dévouement à ce projet d'éclairer le public sur les possibilités d'éviter l'affaiblissement mental.

Merci à mon assistante, madame Nancy MacDonald, qui a cru dans ce projet autant que moi et a passé de multiples heures à perfectionner le document, ainsi qu'à monsieur Justin Ng, qui a contribué à vérifier les attributions et les références médicales.

Mes remerciements vont aussi à mes collègues et amis qui ont lu le manuscrit pour s'assurer qu'il était accessible au grand public.

Enfin, je voudrais remercier la Fondation canadienne des maladies du cœur et de l'AVC pour son appui et sa conviction que la démence vasculaire fait partie de son champ d'activité.

TABLE DES MATIÈRES

Suivez-nous sur le Web

Consultez nos sites Internet et inscrivez-vous à l'infolettre pour rester informé en tout temps de nos publications et de nos concours en ligne. Et croisez aussi vos auteurs préférés et notre équipe sur nos blogues!

EDITIONS-HOMME.COM
EDITIONS-JOUR.COM
EDITIONS-PETITHOMME.COM
EDITIONS-LAGRIFFE.COM

Achevé d'imprimer au Canada
sur papier Enviro 100% recyclé